Choice

編輯的口味
讀者的品味
文學的況味

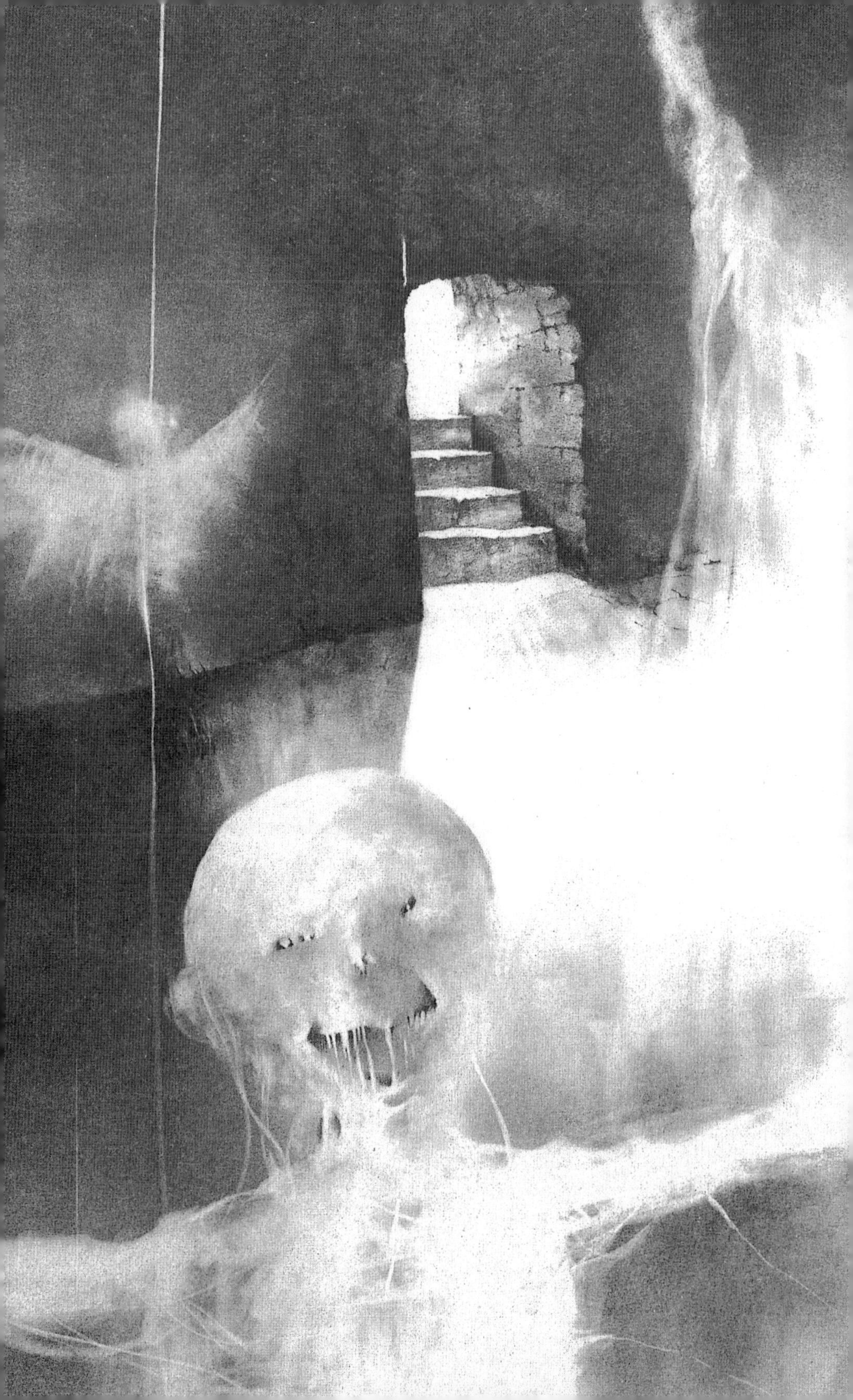

MORE SCARY STORIES TO TELL IN THE DARK

在黑暗中說的鬼故事 II

ALVIN SCHWARTZ | STEPHEN GAMMELL

亞文·史瓦茲 編撰 | 史蒂芬·格梅爾 插畫

吳妍儀 譯

獻給蘿倫（Lauren）

CONTENTS

嗚—哈！

在我醒來的時候，一切都會好好的

最後一笑

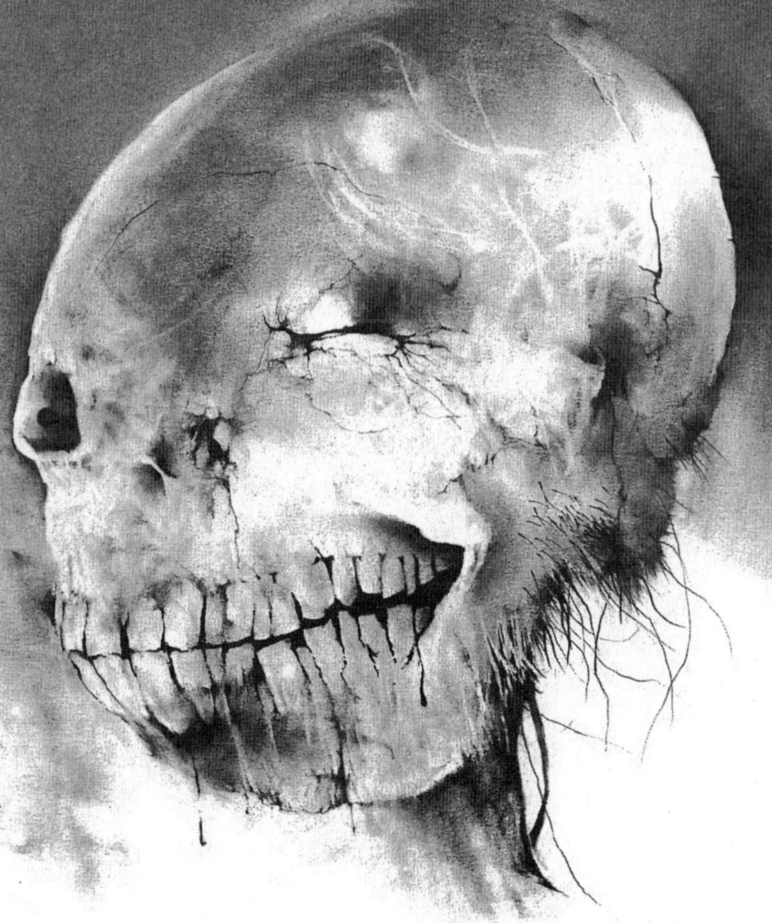

Hoo-Ha's

嗚—哈！

這些嚇人的故事，會帶著你踏上一段讓人心生畏懼的奇異旅程，黑暗、濃霧、薄霧、人的尖叫聲或狗的哀嚎，會把普普通通的場所，變成事事都超乎預料之外的惡夢場景。

人類講恐怖故事的歷史，就跟人類的歷史一樣長。起初，這些故事講的是人類唯恐會傷害他們的超自然生物——惡鬼、妖怪、惡魔、鬼魂與邪靈，潛伏在黑暗中，伺機出擊。

我們的故事會講到我們畏懼的那些生物，不過不是所有故事都是關於妖魔鬼怪。有些故事講的是活人，你會遇到其中幾位——一個胖嘟嘟的快活屠夫、一個友善的打鼓女孩跟一位鄰居，還有另外幾位，即使在最佳狀況下還是不可信賴。

這種嚇人故事通常有個嚴肅的目的，它們可以警告年輕人，在他們獨自出發面對世界的時候，要注意等著他們的危險。

但大多數時候，我們講嚇人的故事是為了好玩。我們關掉電燈，或者只留下一根燃燒的蠟燭，然後我們緊挨著坐在一起，講出我們所知最嚇人的故事。通常這些故事裡，包含幾則已經流傳好幾百年的故事。

如果一個故事夠嚇人，你就會開始渾身發毛，你會覺得想要打顫、發抖、尖叫，你想像聽到或看到了某些東西。在你等著要知道一切會怎麼結束的時候，你屏住呼吸。如果有什麼讓人一驚的事情發生，每個人都會驚喘一聲！或者跳起來！或者大聲尖叫！

有些人把這種要打顫、發抖、尖叫的感覺，稱為「坐立不安」或者「神經兮兮」，詩人T・S・艾略特（T. S. Eliot）則稱之為「嗚—哈」。

你最好趁自己還覺得很有勇氣，天色也還沒暗下來的時候，讀這本書裡的故事。然後，在月亮升起的時候，把這些故事講給你的親朋好友聽。你可能會讓他們有「嗚—哈」的感覺，但他們會覺得很好玩，你也會。

紐澤西州普林斯頓　亞文・史瓦茲

她看到他的時候，她尖叫著逃走了

這一篇都是鬼故事。在其中一個故事裡，一個男人剛變成鬼魂，自己卻還不知道；在另一個故事裡，一艘海盜船與船員從一個水中墳場歸來；還有些其他的可怕事件。

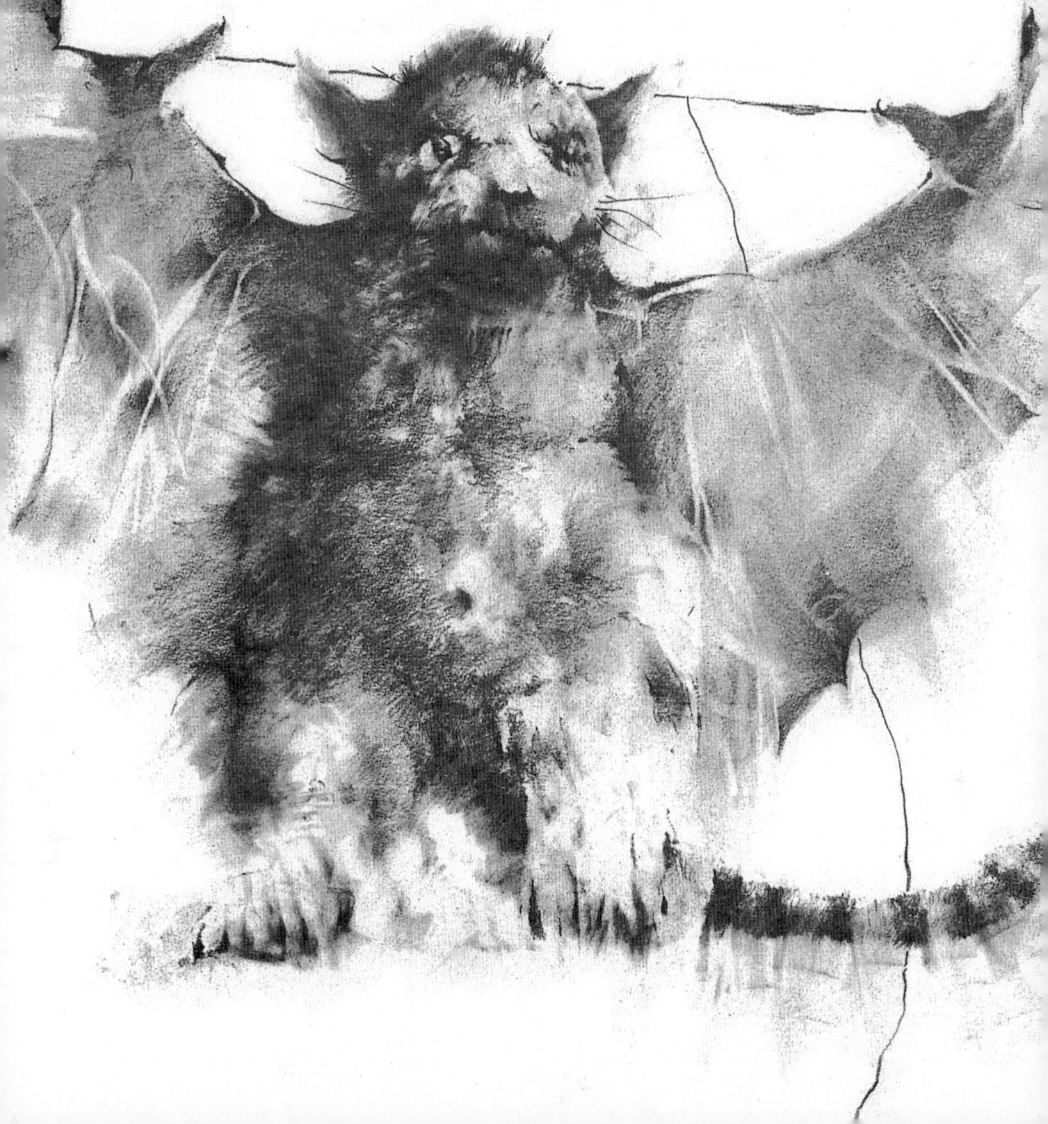

‧有什麼不對勁‧

有一天早上，約翰‧蘇利文發現自己正沿著一條鬧區的街道走著。他無法解釋他在那裡幹什麼、他是怎麼到那裡的，或者他更早的時候去過哪裡，他甚至不知道現在幾點。

他看到一個女人朝他走過來，就攔下她。「恐怕我忘記戴錶了，」他露出微笑地說：「妳可以告訴我時間嗎？」但她看到他的時候，卻尖叫著逃走了。

然後，約翰‧蘇利文注意到每個人都怕他。他們一看到他走過來就緊貼著牆壁或跑到對街去，只為了別擋到他的路。

「我一定有什麼不對勁，」約翰‧蘇利文心想。「我最好回家去。」

他招了一輛計程車，但司機只看了他一眼就加速開走。

約翰‧蘇利文不明白究竟發生了什麼事，這嚇著他了。「也許家裡有人可以來接我。」他心想。他打電話給他太太，但接電話的是一個陌生的聲音。

「蘇利文太太在嗎？」他問。

「不，她在參加葬禮，」那聲音說：「蘇利文先生昨天在鬧區的一場車禍裡喪生了。」

佛瑞德與珍妮在同一間高中讀書，但他們第一次見面是在聖誕節舞會上。佛瑞德是自己一個人來的，珍妮也是。很快佛瑞德就認定了，珍妮是他見過最好的女孩子之一，因此他們大半個晚上都一起跳舞。

在十一點的時候，珍妮說：「我現在得走了。你可以載我一程嗎？」

「當然，」他說：「我也得回家了。」

「我來這裡的時候，意外地把我的車撞到一棵樹上了，」珍妮說：「我猜是因為我沒有小心留意。」

佛瑞德開車載她到布萊迪路口，這個地方是在他不太熟的社區裡。

「你何不在這裡放我下車，」珍妮說：「前面路段的路況真的很不好，我可以從這裡走過去。」

佛瑞德停下車子，拿出一把金箔片。「拿一些吧，」他說：「我從舞會上拿的。」

「謝謝你，」她說：「我會別在頭髮上。」她也真的這麼做了。

「妳想找個時間出來，去看個電影之類的嗎？」佛瑞德問道。

「這樣會很好玩。」珍妮說。

在佛瑞德開走以後，他發現他還不知道珍妮姓什麼，也不知道她的電話號碼。「我要回去，」他心想，「那條路的狀況不可能有那麼差。」

他慢慢沿著布萊迪路開下去，穿過一片濃密的樹林，但沒看到珍妮。當他繞過一條彎道的時候，他看到前面有個車禍殘骸——那輛車先前撞上一棵樹，還著火了，還有煙從車上冉冉升起。

當佛瑞德朝著車子走去時，他可以看到有人困在裡面，被壓垮在方向盤柱上。

那個人是珍妮。她的頭髮上還有他給她的聖誕節金箔片。

・一個週日早上・

艾妲總是參加她的教堂在週日早上七點舉行的晨間禮拜。通常她會在吃早餐的時候，聽到教堂鐘聲鏗鏘響起，不過今天早上她還躺在床上，就聽到鐘聲了。

「這表示我遲到了。」她心想。

艾妲跳下床，迅速換好衣服就出門了，沒吃早餐也沒看時鐘。外面還一片黑暗，但在這個時節天通常是黑的。艾妲是街上唯一的一個人，她只聽見自己的鞋子啪嗒啪嗒踩在人行道上的聲音。「每個人一定都已經在教堂裡了。」她心想。

艾妲走了穿過墓園的捷徑，然後靜靜地溜進教堂裡，找了個座位。禮拜儀式已經開始了。

艾妲在喘過氣來以後，環顧四周。教堂裡滿是她以前從沒見過的人，但她旁邊的女人看起來很眼熟。艾妲對她微笑。「這是喬瑟芬・柯爾啊，」她想著，「可是她死了啊！她一個月前過世了。」艾妲突然間覺得很不自在。

她再度環顧四周。當她的眼睛開始適應幽暗的光線後，艾妲看到某些穿著西裝與洋裝的骷髏。「這是死者的禮拜儀式，」艾妲心想，「這裡的每個人都死了，只有我例外。」

艾妲注意到其中某些人在盯著她看，他們看起來很憤怒，就好像她不該在這裡。喬瑟芬・柯爾靠向她，然後悄悄說道：「如果妳珍惜性命，在賜福祈禱完畢以後就馬上離開吧。」

在禮拜儀式來到尾聲的時候，牧師給她祝福。「願耶和華賜福給妳，保護妳。」他說：「願耶和華使祂的臉光照妳……」

艾妲抓住她的外套，然後迅速地朝門口走。當她聽到腳步聲在她背後響起時，她往後一瞥，好幾個死人正往她這裡來，其他死者也在起身加入他們。

「願耶和華向妳仰臉……」牧師繼續說下去。

艾妲太害怕了，開始發足狂奔。她跑出門口，一群厲聲尖叫的鬼魂緊跟在後。

「滾出去！」其中一個鬼魂尖叫。另一個鬼魂大喊：「妳不屬於這裡！」然後扯走她的外套。當艾妲奔跑著穿過墓園時，第三個鬼魂從她頭上抓走了帽子。「不要回來了！」它尖叫著，然後衝著她揮舞手臂。

等艾妲跑到街上的時候，太陽正在上升，死人就消失了。

「這事情真的發生了？」艾妲自問：「或者我是作了場夢？」

那天下午艾妲的一位朋友帶來她的外套跟帽子，或者該說是剩下的部分。它們是在墓園裡被發現的，都已經撕成碎片了。

・聲音・

那棟房子很靠近海灘。那是個又大又老舊的地方，已經很多年沒人住了。不時會有人硬撬開一扇窗或一道門，然後在那裡過一夜，但從來不會待上更久。

有一天晚上，三個被暴風雨困住的漁夫在那裡避難。靠著他們在屋裡找到的一些乾燥木頭，他們在火爐裡生了火，然後在地板上躺下，設法睡一會。不過那一晚，他們沒人睡得著。

起初他們聽到樓上的腳步聲，聽起來像是有好幾個人來來回回、來來回回地走動。其中一個漁夫喊道：「誰在上面？」腳步聲就停了。然後他們聽到一個女人的尖叫，尖叫聲變成呻吟，然後消失了。血開始從天花板上滴進漁夫們擠成一團的房間裡，一小攤紅色血池在地板上成形，還滲進木頭裡。

樓上的門轟然關上，然後那女人又尖叫起來。「不是我！」她哭喊道。她聽起來好像在跑，她的高跟鞋狂亂地在走廊上踩過去。「我會抓住妳！」一個男人大吼，然後地板震動著，就好像他在追她。

然後是一陣寂靜，一點聲音都沒有，到最後先前大吼的男人開始大笑。整棟房子裡充滿了漫長宏亮的恐怖笑聲，笑聲持續不斷，直到那些漁夫覺得他們就要瘋了。

在笑聲終於停止的時候，漁夫們聽到有人拖著某個沉重的東西下樓，每下一個台階就猛撞一下。他們聽到他拖著那東西穿過前廳，然後出了前門。門打開了，然後又重重關上，接著又是一片寂靜。

突然之間，一陣閃電讓整棟房子充滿了綠色的強光，一張鬼氣森森的臉從門廳那裡瞪著這些漁夫。然後是一記雷霆，他們嚇壞了，往外衝進暴風雨中。

·一道怪異的藍光·

一八六四年十月的一天深夜，一艘屬於南軍的封鎖線突圍船在德州加維斯頓灣的開口處，從北軍的砲艇旁邊溜過去，然後帶著包括食物與其他必需品等貨物，安全抵達港口。

路易斯·比林斯，那艘小船的主人，在準備好下錨的時候被船上一位船員的尖叫聲嚇了一跳。

「有一艘掛著一面大黑旗的奇怪老式縱帆船，正朝著我們衝過來，」比林斯後來說道，「那艘船上有某種怪異的淡藍色光線在燃燒著，點亮了船身上的每個角落與縫隙。

「船員們在拉繩索、還有做其他的工作，完全沒在注意我們，甚至沒瞥向我們這邊。他們全都有還在流血的恐怖傷口，但他們的臉跟眼睛都是死人的模樣。

「先前尖叫的男人跪了下來，他喘著氣唸出祈禱文的時候牙齒在打顫。我克服了自己的恐懼，那是一種骨髓深處都發寒的感覺，我衝上前去，奔跑的時候還對著其他人大喊大叫。突然之間，那艘縱帆船就從我眼前消失了。」

某些人說，那是尚．拉菲特的海盜船，一八二一年或一八二二年在加維斯頓島外沉沒的「驕傲號」留下的鬼影。到了一八九二年，又有人看到那艘船出現在同一片水域裡，載著同一批船員。

‧有人從桅頂跌下來了‧

我以普通海員的身分簽約上了「艾崔克瀑布」，這是一艘航向英國的商船。我第一次看到那艘船，我立刻就認出來了，那就是以前的「葛楚德‧史伯修」。多年前當它被漆成棕色與金色的時候，我曾經搭著它航行，現在它被漆成黑色，又有了個新名字，但肯定還是同一艘船。

那趟航程中我們有一批相當不錯的水手，只有一個姓麥克拉倫的人看起來一臉煞氣。他是個滿不錯的水手，但他身上有某種東西，讓我不能信任他。他有點鬼鬼祟祟，大半時候不跟人打交道。

某天有人告訴他說，我曾在老「葛楚德」上工作過。不知怎麼的，他聽了全身發抖，然後我逮到他用那種醜陋陰暗的眼神看我，就好像他想給我背後一刀，想得都發癢了。我猜這跟「葛楚德」有點關係，但我不知道是什麼事。

總之呢，有那麼一天，我們正試著奮力穿過一片濕淋淋的黑霧。你幾乎不會知道我們已經打開全部的燈了，可是海上一片死寂，沒有一絲流動的空氣。這艘船就躺在那裡，像在水槽裡打滾，搖啊晃啊的，卻哪裡都去不了。

輪到我站在船體中央守望，而麥克拉倫在舵輪那裡做他的事。其他船員則四散在各處，船上安靜得不能再安靜。

然後突然之間——撲通！某個玩意就撞上了麥克拉倫正前方的甲板！他發出一聲讓我血液為之冰涼的尖叫，然後他就昏倒在地上了。

二副開始喊著有人從桅頂掉下來了。躺在舵輪前方的是某個人、或者某樣東西，身上穿著油布雨衣，有血從衣服下面滲出來。船長跑去他的艙房拿來一盞大燈，好讓我們能看到那是誰。

他們設法讓他直起身體，以便看清楚他的臉。他是個大塊頭、模樣醜陋的惡魔，不過沒有人知道他是誰，或者他在上面幹什麼。至少沒有人說出來。

在麥克拉倫從昏迷中甦醒時，他們設法要從他身上問出點什麼，而他就只是含糊不清地講個不停，他那對神態瘋狂的大眼睛一直在亂轉。

每個人都變得越來越激動。我們全都想盡可能快點把那具屍體扔下船，只因那屍體有某種怪異的地方，好像不是真實存在的一樣。

可是船長不是很確定要那樣擺脫它。「這可能是個偷渡者嗎？」他問道。不過這艘船滿載著我們運送的木料，滿到沒有空間可以讓一個活物躲上三個星期，而

我們出海的時間就是這麼長。就算那是個偷渡客，在這麼糟糕的日子裡他上桅頂幹什麼？任何人都沒有理由上去那裡，那裡沒什麼好看的。

最後，船長放棄了，叫我們把他抬起來丟下船。那時沒有人想碰他，雖然大副命令我們把他抬起來，但沒有人動。接著他試著又勸又哄，卻沒有任何效果。

突然間，那瘋瘋癲癲的麥克拉倫開始大喊：「以前我就收拾過他一次，現在也可以再收拾他一次！」他抬起屍體，帶著它搖搖晃晃地走到欄杆旁。就在他要把屍身丟下船的時候，它用它那兩隻又大又長的手臂環抱住他，他們就一起掉下去了！然後在下墜的途中，他們其中一個開始發出一種恐怖的笑聲。

大副、二副嚷嚷著要放下一艘小船，但沒有人願意進入小船，在像這樣的晚上，大家才不幹呢。我們丟了兩個救生用具下去給他們，但人人都知道於事無補。所以這就是結局了。或者該問問，是這樣嗎？

在那之後，我一有機會回家，就直接去見老船長史伯修，當年「葛楚德」還在的時候，他就是船長。

「噢，」他說：「有一趟航程裡，有兩個古怪的男人上了『葛楚德』，一個是麥克拉倫，另一人則是個真正的彪形大漢。那個大塊頭總是找麥克拉倫麻煩，老是揍他，麥克拉倫也總說他會報復那人。

「然後呢，有個潮濕惡劣的晚上，他們兩個人獨自在上面，而那個大塊頭飛撲墜地，讓自己死得不能再死了。

「麥克拉倫說他們在用的腳纜鬆開了，他自己也差點掉下來。可是每個看到纜繩的人都知道，那繩子不是自己鬆掉的，是被一把刀切斷的。

「在那以後，每次我們進港，麥克拉倫都認為我們要找警察抓他，他變得相當害怕。不過我們什麼都證明不了，所以我們連試都沒試。到最後，我猜那大塊頭用他自己的方式料理了這件事。如果他是回歸的鬼魂，那麼他就是了——如果有鬼這種東西的話。」

・小黑狗・

比利・曼斯菲爾德說，有隻小黑狗跟著他到處走，不過他是唯一看到那隻狗的人，所以大家認為他有點瘋。為了把那隻狗趕走，比利總是對著牠大吼大叫，還對牠丟石頭，不過那隻狗總是會回來。

比利第一次看見那隻狗，是在他跟賽勒斯・柏頓火併的那天。比利那時只是個小夥子，不過柏頓家跟比利的家族已經結仇多年了。

比利看到賽勒斯騎馬朝他而來的時候，他伸手去拿他的槍，柏頓也去拿他的。但比利先開火，他打中了柏頓的背部，把他從馬上射了下來。柏頓的馬跑走了，他的槍掉在他拿不到的地方。

他躺在地面上，在那裡懇求比利別殺他，不過比利還是殺了他。柏頓的小黑狗在他被射殺的時候在他旁邊，那隻狗一直舔著柏頓的臉，而且對著比利狂吠咆哮，於是憤怒的比利也殺了那隻狗。

那時候沒什麼法治可言，所以比利沒有被捕，但那一整晚他都聽到柏頓的狗在他的小屋外面，抓著他的門，吠叫著要人放牠進去。「這是我想像出來的，」比利對自己說：「我射殺了那隻狗。牠死了。」

但第二天早上比利看到了那隻狗，牠在外面等他。從那時候開始，他沒有一天見不著牠，他也沒有一晚沒聽見牠在抓他的門，吠叫著要人放牠進去。

從那時候開始，比利總是發現黑狗毛出現在沙發上、地板上、床上，甚至出現在他的食物裡。而這間屋子跟院子都是狗臭味，比利是這麼說的。

每當有人告訴他，根本看不到任何一隻狗的時候，他會說：「也許你沒有看到牠，但我有，而且我不比你更瘋。」

事情這樣繼續了許多年，然後在某個深冬的早晨，鄰居們沒看到任何一絲炊煙從比利的煙囪升起。他們去查看的時候，比利不在屋裡。大約一天以後，他們找到他的屍體，他躺在他那間小屋後面一片覆雪的田野裡。

比利有許多敵人，起初看似可能有人殺了他，不過他身上沒有任何痕跡。而外面除了比利自己的腳印以外，沒有別的腳印。

醫生說比利可能是老邁而死的，不過他的死亡有點蹊蹺。當鄰居們發現比利的時候，他衣服上有黑狗毛，甚至連他臉上都有幾根。聞起來像是有隻狗到過那裡，然而沒有人在任何地方看到狗。

·克啷叮—克啷·

一位老婦人病死了，她沒有家人也沒有親近的朋友，所以鄰居們找了個掘墓人來，替她挖了個墳墓。他們也找人做了棺材，然後把棺材放在她家客廳裡。遵照傳統，他們洗淨了她的身體，替她穿上她最好的衣服，然後把她放進棺材裡。

在她死時，她的眼睛大張著，瞪著所有一切，卻什麼都看不到。鄰居們發現她梳妝檯上有兩塊舊美金銀幣，於是他們把銀幣放在她眼皮上，好讓眼睛保持合起。

他們點亮蠟燭，然後守夜陪伴她，好讓她在死後的第一個晚上不至於太孤單。第二天早上有位牧師來了，替她唸了祈禱文，接著每個人都回家了。

稍晚那個掘墓人抵達，要帶她去墓園埋葬她。他盯著她眼睛上面的美金銀幣看，然後把銀幣拿起來。這錢幣多麼閃亮光滑！多麼厚實沉重！「它們真漂亮，」他心想：「就是漂亮。」

他注視著那個死去的女人。她眼睛大睜著，他覺得她在瞪他，凝視他握著她的錢幣。這讓他覺得毛骨悚然，他把錢幣放回她那雙眼睛上面，讓她的眼睛繼續閉著。

但他不自覺地再度伸出雙手，抓起了錢幣就塞進他口袋裡。然後他抓起一把鐵鎚，迅速地用釘子封上棺材蓋。

「現在妳什麼都不可能看到了！」他對她說道。接著他帶著她往外到墓地去，然後盡他所能地迅速埋葬了她。

在掘墓人回家後，他把兩枚美金銀幣放在一個錫盒裡，還拿起來搖一搖。錢幣發出一種歡樂的喀啦喀啦響聲，不過掘墓人並沒有歡樂的感覺，他無法忘懷看著他的那雙眼睛。

在天色暗下來的時候，來了一場暴風雨，風開始吹襲。風在房子周圍呼嘯。風穿過裂隙與窗戶周圍進屋，還從煙囪裡下來。

卜嗚嗚嗚嗚嗚嗚—嗚、嗚、嗚！風這麼吹。卜、卜、卜嗚嗚嗚嗚嗚嗚—嗚、嗚、嗚！爐火閃耀又搖曳。

掘墓人丟了些新鮮柴火到爐火裡，爬進床鋪，把毯子拉到下巴底下。

風繼續吹著，卜嗚嗚嗚嗚嗚嗚—嗚、嗚、嗚！風這麼吹，卜、卜、卜嗚嗚嗚

嗚嗚嗚—嗚、嗚、嗚！爐火閃耀又搖曳，在四壁上投下看起來很邪惡的陰影。
掘墓人躺在那裡，想著死去婦人的眼睛瞪著他看。風吹得更強更大聲，爐火閃耀搖曳，又發出劈劈啪啪的聲音，他變得越來越害怕。
突然間他聽到另一個聲音。克啷叮—克啷，克啷叮—克啷，就是這種聲音。克啷叮—克啷，克啷叮—克啷。那是銀幣在錫盒裡響起的聲音。
「嘿！」掘墓人吼道。「誰在拿我的錢？」
然而他聽到的就只有風吹過，卜嗚嗚嗚嗚嗚—嗚、嗚、嗚！還有爐火閃耀搖曳、劈劈啪啪，錢幣繼續響著，克啷叮—克啷，克啷叮—克啷。
他跳下床，把門用鍊子鎖上。然後他匆忙回到床上，但他的頭幾乎還沒碰到枕頭，就聽到了克啷叮—克啷，克啷叮—克啷。
接著他聽到某個在遠處的聲音。那是個聲音在哭喊：「我的錢在哪裡？誰拿了我的錢？是誰……？是誰……？」
然後風吹來了，卜嗚嗚嗚嗚嗚—嗚、嗚、嗚！爐火閃爍搖曳、劈劈啪啪，錢幣發出克啷叮—克啷，克啷叮—克啷的聲音。
掘墓人真的嚇壞了。他再度下床，把所有家具都堆過去抵住門，然後在錫盒上面擺了個沉重的鐵煎鍋。接著他跳回床上，用毯子蓋住他的頭。

不過錢幣碰撞的聲音比先前更響亮了，遠處有個聲音哭喊著：「把我的錢給我！誰拿了我的錢！是誰……？是誰……？」而風吹著，爐火閃爍搖曳、劈劈啪啪，掘墓人戰慄發抖，哭喊著：「噢老天爺，老天爺啊！」

突然之間前門猛然打開，死去婦人的鬼魂走了進來，她眼睛睜得大大的，瞪著所有一切，卻什麼都看不見。而風吹著，卜嗚嗚嗚嗚嗚—嗚、嗚、嗚！錢幣也響著，克啷叮—克啷，克啷叮—克啷，爐火閃爍搖曳、劈劈啪啪，死去婦人的鬼魂哭喊：「噢，錢在哪裡？誰拿了我的錢？是誰……？是誰……？」而那掘墓人呻吟著：「噢老天爺，老天爺啊！」

鬼魂可以聽到她的錢就在錫盒裡，發出克啷叮—克啷，克啷叮—克啷的聲響。不過她的死人眼睛看不到盒子，所以她伸出雙臂，設法要找到盒子。

（你把故事說到這裡的時候，站起來把雙臂伸到你面前，開始摸索你的四周。）

風發出卜嗚嗚嗚嗚嗚嗚—嗚、嗚、嗚！的聲音，而錢幣撞來撞去，克啷叮—克啷，克啷叮—克啷！爐火閃爍搖曳、劈劈啪啪，掘墓人戰慄顫抖又呻吟：「噢老天爺，老天爺啊！」那婦人則哭喊著：「把我的錢給我！誰拿了我的錢？是誰……？是誰……？」

（現在迅速地跳到觀眾中的某個人身上，然後尖叫：）

就是你拿的！

她像貓似地嘶吼嚎叫

這一篇裡的故事講到一只空行李箱、一個變成貓的鄰居、一面奇異的鼓、某種非常美味的香腸，還有其他嚇人的玩意。

‧新娘‧

牧師的女兒才剛結婚，在婚禮之後有一場大筵席，有音樂、舞蹈、比賽跟遊戲，甚至是很古老的兒童遊戲。

在他們玩捉迷藏的時候，新娘決定要躲在她祖父放置在閣樓裡的行李箱中。

「他們永遠不會找到我在那裡。」她心想。

當她爬進行李箱的時候，蓋子落下來撞到她的頭，她在箱子裡失去意識，蓋子猛然合起鎖上了。

永遠不會有人知道她喊叫求救了多長時間，還有她多努力掙扎要把自己從這個墳墓裡解放出來。村子裡的每個人都在找她，他們幾乎找過了每個地方，但沒有人想到要去看那個行李箱。一星期之後，她新婚的新郎與所有其他人都放棄了希望。

多年之後，一位女僕走上閣樓裡找她需要的某樣東西。「也許在行李箱

裡。」她心想。她打開箱子，然後尖叫出來。失蹤的新娘穿著她的結婚禮服躺在那裡，但這時她只是一具骷髏了。

・她手指上的戒指・

在醫生說黛西・克拉克終於死去的時候，她已經昏迷了超過一個月。在一個涼爽的夏日，她在離家大約一哩的一個小墓園裡下葬。

「願她在這種平靜中永遠安息。」她丈夫說。

然而她沒有。那天深夜，有個盜墓賊拿著一把鏟子跟一盞燈籠，開始把她挖出來。因為土壤還很鬆軟，他迅速地挖到棺材，然後把它打開了。

他的直覺是對的，黛西戴著兩個值錢的戒指下葬——一個是上面有鑽石的婚戒，還有一個戒指上面有顆紅寶石，閃閃發亮如有生命。

這個小偷雙膝跪地，伸手到棺材裡拿戒指，不過戒指牢牢卡在她的手指上。所以他認定唯一拿到戒指的辦法，就是用刀切斷她的手指。

只是當他切割戴著婚戒的手指時，那手指開始流血，而黛西・克拉克開始顫動。突然間她坐了起來！嚇壞了的小偷慌慌張張地站起來，他意外地踢翻了燈籠，燈光熄滅了。

他可以聽到黛西從她墳墓裡爬出來。當她在黑暗中走過他身邊的時候，他站在那裡恐懼得全身凍結，緊抓著手裡的刀子。

在黛西看到他的時候，她拉著她的壽衣裹好身體，然後問道：「你是誰？」盜墓賊一聽到這個「屍體」說話，就拔腿跑了！黛西聳聳肩繼續走，一次都沒回頭看。

但那個小偷在恐懼與困惑之中逃錯了方向。他一頭衝進她的墳墓裡，跌在刀子上，刺穿了他自己。在黛西走回家的同時，那小偷卻流血至死。

・鼓・

從前曾有一對姐妹，杜羅莉絲七歲，珊卓拉五歲。她們跟她們的母親，還有嬰兒弟弟亞瑟，一起住在鄉間的一棟小房子裡。她們的父親是個水手，出海去長途航行了。

有一天，杜羅莉絲跟珊卓拉奔跑著穿過她們家附近的一片田野，這時她們遇到一個在打鼓的吉普賽女孩，她的家人在田野上露營幾天。

在這女孩打鼓的時候，一個小機械男人跟女人從鼓裡跑出來跳舞。杜羅莉絲跟珊卓拉從來沒有看過這種鼓，而她們央求那個女孩把鼓給她們。

她看著她們笑出聲來。「我會把鼓給妳們，」她說：「但只有在妳們真的很壞的情況下才會。明天再回來，告訴我妳們有多壞，我會考慮看看。」

這兩姐妹一回家就開始大吼大叫，這違反她們家裡的規矩。然後她們用她們的蠟筆在四壁上到處亂畫。在晚餐時，她們把食物潑出來。而在上床睡覺的時間，她們不肯去睡。她們做了每一件她們想得到能惹火媽媽的事情，她們真的很壞。

第二天一早，她們匆匆出門去找那個吉普賽女孩。「我們昨天真的很壞，」她們告訴她：「所以拜託把那個鼓給我們。」

可是她們把自己做了什麼告訴吉普賽女孩以後，那女孩笑了。

「噢，如果要我把鼓交給妳們，妳們必須比那樣更壞得多。」

杜羅莉絲跟珊卓拉一回家，她們就拔掉花園裡的所有花朵。她們把豬放出來，還把牠趕跑了。她們扯壞她們的衣服。她們在泥巴裡打滾。她們比前一天更壞得多。

「如果妳們不停止，」她們的媽媽說：「我就會帶著亞瑟跟我一起離開，然後妳們就會有個長了玻璃眼睛跟木頭尾巴的新媽媽。」

這嚇壞了杜羅莉絲跟珊卓拉。她們愛她們的母親，也愛亞瑟，她們無法想像失去他們，這對姐妹開始哭了。

「我不想離開妳們，」她們的媽媽說道。「可是除非妳們改變妳們的行為，否則我就得離開妳們了。」

「我們會乖乖的。」女孩們提出承諾，然而她們並不真正相信她們的媽媽會離開。

「她只是想要嚇我們。」杜羅莉絲後來說。

「我們明天會得到那面鼓。」珊卓拉說道：「然後我們就會再變乖。」

第二天一早，她們衝出去找那個吉普賽女孩。她們找到她的時候，她又在打鼓了，小男人跟女人在跳舞。

她們告訴吉普賽女孩她們前一天有多壞。「這樣一定壞到可以拿到那面鼓了。」她們說。

「噢，不，」吉普賽女孩說：「妳們一定要比那樣還壞得多。」

「可是我們答應我們的媽媽，說從今以後要很乖。」女孩們說道。

「如果妳們真的想要這面鼓，」吉普賽女孩說：「妳們就必須更壞得多。」

「只要再多一天就好，」杜羅莉絲告訴珊卓拉，「然後我們就會有那面鼓了。」

「我希望妳是對的。」珊卓拉說。

她們一到家，就用一根棍子打狗。她們打破盤子。她們把衣服撕成碎片。她們打嬰兒弟弟亞瑟的屁股。

她們的媽媽開始哭了。「妳們沒有遵守妳們的承諾。」她說。

「我們會乖的。」杜羅莉絲說。

「我們答應了。」珊卓拉說。

「我無法再等太久了，」她們的媽媽說，「拜託努力試試看。」

第二天一早，在她們的媽媽醒來以前，杜羅莉絲跟珊卓拉跑去見那個吉普賽女孩，她們告訴她前一天她們做過的所有壞事。

「我們壞透了。」珊卓拉說。

「我們比過去更壞了，」杜羅莉絲說：「拜託，我們現在可以擁有那面鼓了嗎？」

「不行，」吉普賽女孩說：

「我從來沒打算把鼓給妳們，這

只是我們在玩的一個遊戲而已，我以為妳們知道的。」

杜羅莉絲跟珊卓拉開始哭，她們盡可能迅速地衝回家裡，可是她們的媽媽跟亞瑟不見了。「他們出去買東西了，」杜羅莉絲說。「他們很快就會回來。」可是在午餐時間到的時候，他們還是沒回來。

杜羅莉絲跟珊卓拉覺得孤單又害怕，那天剩下的時間裡，她們在田野間遊蕩。「也許我們回去的時候，他們就會在家了。」杜羅莉絲說。

在她們回家的時候，她們透過窗戶看到燈點亮了，而且火爐裡生了火。不過她們沒有看見她們的媽媽跟亞瑟，她們反而看到她們的新媽媽——她的玻璃眼睛閃閃發光，她的木頭尾巴重重敲著木頭地板。

・窗戶・

瑪格麗特跟她的兄弟保羅與大衛，同住在一間小房子裡，就在村外的山丘頂端。

有個夏天晚上，天氣暖到瑪格麗特根本睡不著。在她黑漆漆的房間裡，她從床上坐起來，注視著月亮橫越過天空。突然間，她的目光捕捉到某個東西。她看到兩個小小的黃綠色燈光，穿過山丘底下墓園附近的樹林裡。它們看起來像是某種動物的眼睛，不過她無法分辨是哪種動物。

很快那個生物就離開了樹林，沿著山丘往上朝著屋子移動。有幾分鐘，瑪格麗特看不到它的蹤跡，然後她看見它穿過草坪朝她的窗口來了。它看起來像是個男人，然而卻不是。

瑪格麗特很害怕。她想要從她房間裡逃跑，但門在她的窗戶旁邊，她就怕那生物會看到她，然後在她能逃走以前闖進來。

在那生物轉身朝另一個方向移動的時候，瑪格麗特衝向房門。可是在她能

打開門以前，它就回來了。瑪格麗特發現自己正瞪著窗外一張皺縮的臉，就像木乃伊一樣。它黃綠色的眼睛像貓眼那樣閃閃發光。她想要尖叫，但她太過驚恐，以至於什麼聲音都發不出來。

那生物打破了窗玻璃，撬開了窗戶，爬進屋裡來了。瑪格麗特設法要逃走，但那生物抓住了她。它扭曲著它瘦骨嶙峋的長手指，鑽進她頭髮裡，把她的頭往後拉，然後用它的牙齒咬進她喉嚨裡。

瑪格麗特尖叫著暈倒了。在她的兄弟們聽見她刺耳的尖叫時，他們衝進她房間裡。但等他們把門鎖打開的時候，那生物已經逃掉了。瑪格麗特躺在地上流血，昏迷不醒。在保羅設法止血的時候，大衛追著那生物下了山丘，朝著墓園去。但很快，他就看不到它了。

警方認為那是個相信自己是吸血鬼的逃跑瘋子。

在瑪格麗特復原以後，她的兄弟們想搬家到比較安全、比較難闖入的地方去，但瑪格麗特拒絕了。那生物永遠不會回來的，她很確定這點。但為了以防萬一，保羅跟大衛開始把上膛的槍擺在他們房間裡。

幾個月後的一天晚上，瑪格麗特被窗戶上的搔抓聲驚醒。在她睜開眼睛的時候，同樣那張皺縮的臉正往屋裡盯著她看。

那天晚上她的兄弟們及時聽到她的哭喊，他們追著那生物下了山，大衛射中了它的腿。可是那生物設法爬過墓園的牆壁，消失在一個老墓穴附近。

第二天，瑪格麗特跟她的兄弟們注視著教堂司事打開那個墓穴，裡面的景象很恐怖——破裂的棺材、骨頭跟腐肉四散在地板上。

只有一個棺材沒有被搞亂。在司事打開那口棺材時，裡面躺著有那張皺縮臉孔、攻擊過瑪格麗特的生物，而證明此事的那顆子彈就在它腿上。

他們做了他們所知的唯一能擺脫吸血鬼的事——司事在墓穴外面生了燒得很旺的烈火，然後把那皺縮的屍體送進火焰裡。他們注視著屍體燃燒，直到除了灰燼以外什麼都不剩為止。

・美妙的香腸・

一個天色陰暗又下雨的週六下午，一個肥胖快活，名叫山繆爾・布朗特的屠夫跟他的老婆艾洛伊絲因為錢吵了一架。布朗特氣到失控，就殺了艾洛伊絲，然後他把她絞碎了加進香腸肉裡，還把她的骨頭埋在後院一塊扁平的大石頭下面。為了讓這宗謀殺保持秘密，他告訴每個人說她搬走了。

布朗特把他的新香腸肉跟豬肉混在一起，然後用鹽與胡椒調味，再加上一點鼠尾草跟百里香，還有一點大蒜。為了給香腸一點特殊風味，他還在他的燻製房裡煙燻了一下。他稱之為「布朗特特製香腸」。

這種新香腸的銷路極好，以至於布朗特買進了他找得到最好的豬隻，開始養他自己要用的豬肉，同時他也敏銳地注意著可能做成好吃香腸肉的人類。

有一天，一位和善、豐滿的學校老師來到他的店舖。布朗特逮住她，然後把她絞成泥。另一回是布朗特的牙醫來了，他是個圓滾滾的小個子男人，他也進了絞肉機。然後一個接著一個，鄰里中的小孩子開始失蹤；他們的貓貓狗狗也是。不過大家作夢都想不到，屠夫布朗特跟這些事有什麼關係。

事情這樣繼續了好幾年，然後有一天，布朗特犯了個大錯。一個胖男孩進了肉鋪，布朗特抓住他，開始要把他拉進絞肉機裡，但那男孩掙脫了，他跑出店鋪外，布朗特揮舞著一把大屠刀在後面追。

在大家看到這一幕的時候，他們立刻領悟到所有失蹤的小孩、大人還有貓狗變成什麼了，憤怒的群眾聚集在肉鋪前。沒有人能確定那天布朗特到底發生什麼事；有人說他被拿去餵他的豬，其他人說他被送進他的香腸用絞肉機裡。不過再也沒有人看到他，也沒人再見過他美妙的香腸肉了。

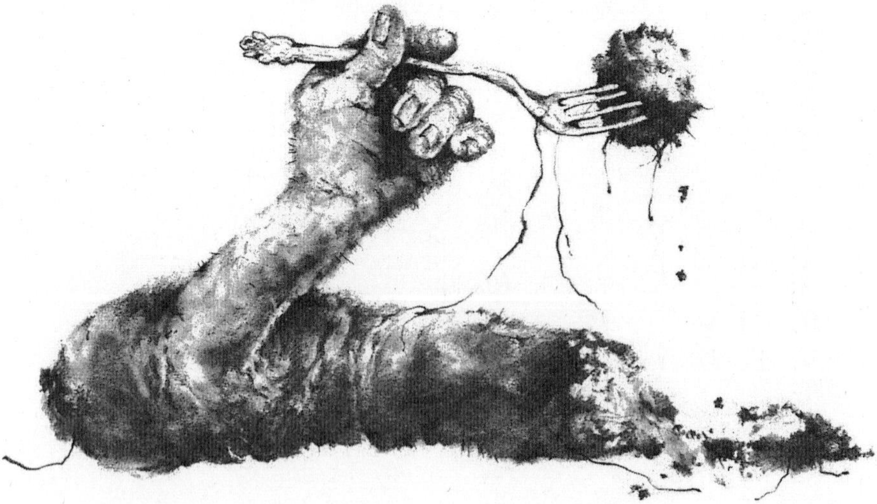

・貓掌・

有人在偷傑德・史密斯放在他燻製室裡的肉。每天都有一條火腿、某些培根或者別的什麼東西不見。傑德終於決定他必須制止這種事。一天晚上，他帶著他的來福槍躲在燻製室裡，等待那個竊賊。

他不必等太久，因為很快的，一隻黑色母貓就溜了進來。她是傑德生平見過最大的一隻貓。當牠跳上去，把一隻掛在天花板上的火腿拉下來的時候，傑德抓住他的來福槍，打開了燈。不過這隻貓非但沒逃走，還跳起來撲向他。他開火了，射掉了牠的一隻腳掌。

在傑德的槍開火以後，他很確定他聽到一個女人的尖叫聲。那隻貓開始在房間周圍亂抓、嘶嘶作響又嚎叫，然後她沿著煙囪往上跑，接著就不見了。

傑德瞪著那隻貓掌，只是它再也不是貓掌了。只見一隻女人的腳躺在地板上扭動，整個脹大了又血淋淋的。

「所以是女巫幹的好事。」他告訴自己。

就在那時，傑德的一位鄰居，一個名叫博迪克的男人，匆匆沿路衝過來要去請醫生。他告訴傑德，他太太的腳在一場意外裡中彈了。「她流血流得很嚴重。」他說道。

醫生勉強及時救回她，而事發時在場的人說，她「像貓似地嘶吼嚎叫」。

・人聲・

愛倫在剛要睡著的時候，聽到一個奇怪的聲音。

「愛倫，」這聲音悄悄說道：「我從樓梯上來了。

「我在第一階。

「現在我到第二階了。」

愛倫害怕起來，出聲喊她父母，但他們沒聽見她，他們也沒有過來。

然後那聲音悄聲說：「愛倫，我在階梯最頂端。

「現在我到走廊了。

「現在我在妳房間外面。」

接著它耳語道：「我就站在妳的床旁邊。」

然後是——「我抓到妳了！」

愛倫尖叫出來，而那聲音停止了。她父親衝進房間裡打開燈。

「有人在這裡！」愛倫說。他們看了又看，沒有人在那裡。

在我醒來的時候，一切都會好好的

這裡的嚇人故事講到了一節地鐵車廂、一間購物商場，還有其他的危險場所。

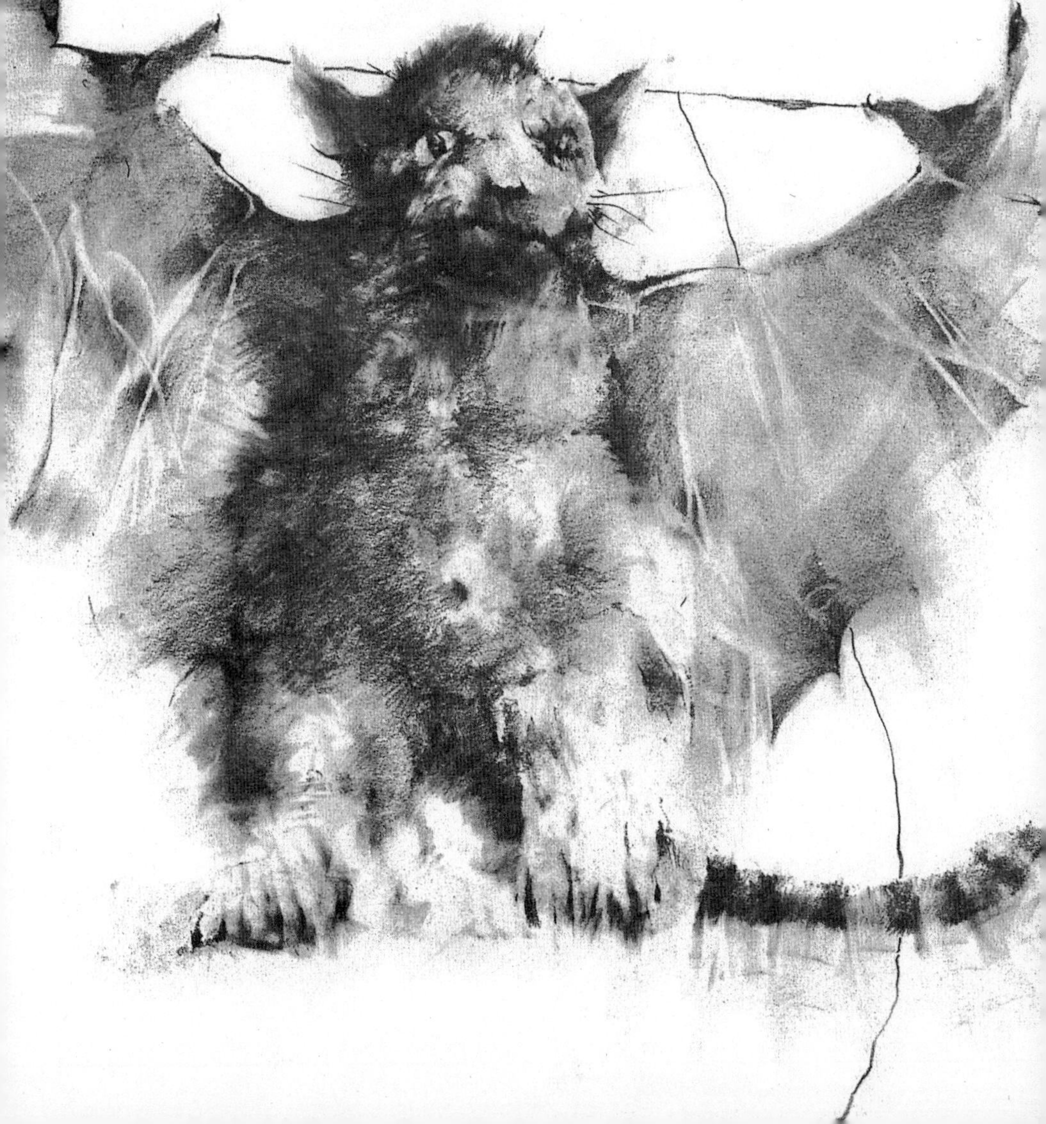

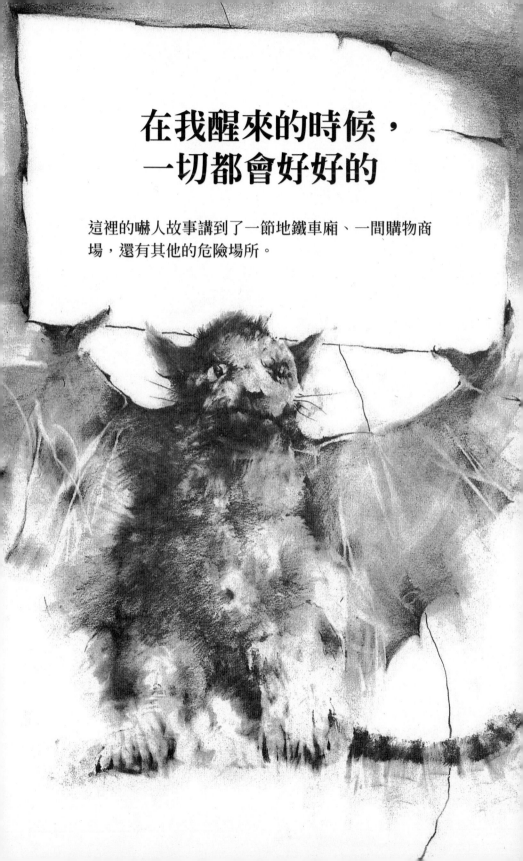

‧〈噢，蘇珊娜！〉‧

蘇珊娜與珍分租一間小公寓，位置靠近她們就讀的大學。有一天晚上，蘇珊娜從圖書館回來的時候，燈熄了，珍在睡覺。蘇珊娜在黑暗中脫掉衣服，靜靜地上了床。

她幾乎睡著的時候，聽到有人哼著〈噢，蘇珊娜！〉這首歌的曲調。

「珍，」她說：「拜託別哼了，我想睡一下。」

珍沒有回答，不過哼歌的聲音停了，蘇珊娜也進入夢鄉。她第二天早上很早醒來──她認為太早了──然後試著要再睡個回籠覺的時候，她又聽到哼歌的聲音。

「拜託回去睡吧，」她告訴珍。「現在起床太早了。」

珍沒有回答，但哼歌聲繼續下去。蘇珊娜開始生氣了。「閉嘴啦！」她說：「這不好笑。」哼歌聲還是沒停，她就發脾氣了。她跳下床，把珍身上的棉被扯掉，然後就大聲尖叫……

珍的頭不見了！有人割掉了她的頭！

「我在作惡夢，」蘇珊娜告訴自己。「在我醒來的時候，一切都會好好的……」

．中間的男人．

幾乎是午夜了。莎莉．杜伊特去拜訪過她母親以後，剛踏上第十五街的地鐵。

「別擔心，」莎莉告訴她，「地鐵很安全，總是有個警察在執勤。」不過那天晚上她沒看到。除了她以外，地鐵車廂是空的。

在四十二街，三個看起來不好惹的男人上車了。其中兩個撐住了第三個，那人看起來喝醉了。他的頭左右搖晃，而且他的雙腿不肯出力。

他們讓他坐在他們之間的時候，他的頭靠在另一人的一邊肩膀上。莎莉覺得他在瞪她。她把頭埋在一本書後面，設法不去注意。

在二十八街，其中一個男人站起來。

「放輕鬆點，吉姆。」他對中間那個男人這麼說，然後下了車。

在二十三街，吉姆的另一個朋友站了起來。

「你不會有事的。」他這麼說，然後下了車。

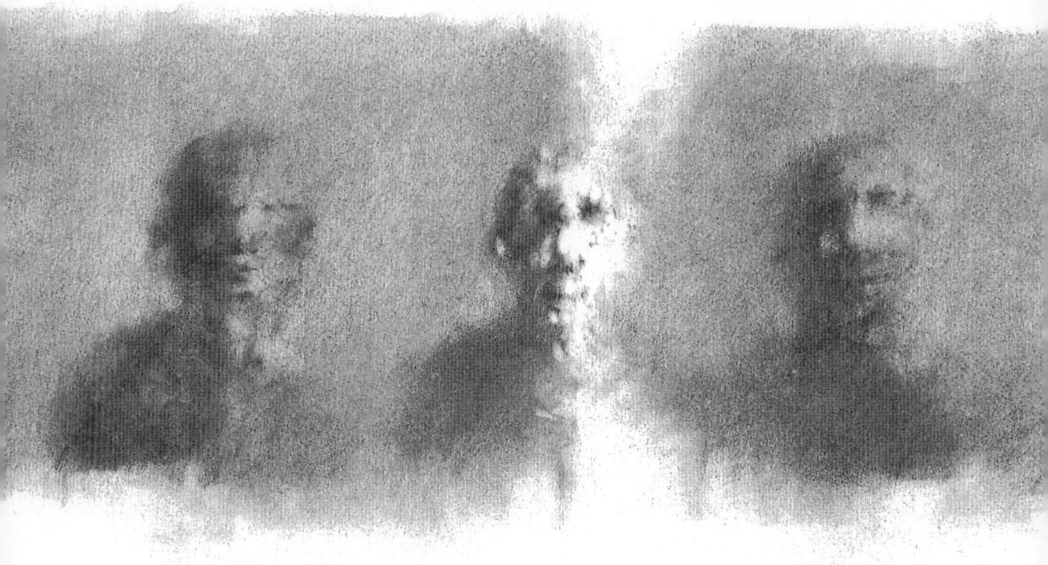

現在唯一留在車廂裡的就是吉姆跟莎莉。就在這時，地鐵繞過一個急轉彎，吉姆一頭撲倒在莎莉腳邊的地板上。在她低頭看他的時候，她看到他腦袋旁邊有一行血，而在血跡上方有個彈孔。

‧購物袋裡的貓‧

布里格斯太太開車到購物商場去，要趁著最後一點時間買聖誕節用品的途中，意外壓死一隻貓。她不忍心把屍體留在馬路上，任憑其他車子衝撞輾壓，所以她停了車，把貓放在後座的一只舊購物袋裡。她打算回家以後把貓埋在後院裡。

在商場裡，她停好她的車，開始走到其中一間店舖裡。她只走了幾步路，就從眼角餘光看到一個女人伸手到她車子打開的車窗裡，拿走裝有死貓的那只購物袋。然後那女人迅速地坐進附近的另一輛車裡開走了。

布里格斯太太跑回她車上，跟上那個女人。她在路上的一間餐廳追上那女人，她跟著那女人進去，盯著她溜進一個包廂座位，向一位女侍點了菜。

當那女人坐著啜飲她的蘇打汽水時，她伸手到布里格斯太太的購物袋裡。然後她彎下腰去看裡面。她滿臉驚恐，尖叫著昏了過去。

女侍叫了救護車，兩個急救人員把女人放到擔架上抬走，但他們把購物袋留在後面了。布里格斯太太拿起袋子追了出去。

「這是她的東西，」她喊道：「這是她的聖誕禮物！她不會想要弄丟的。」

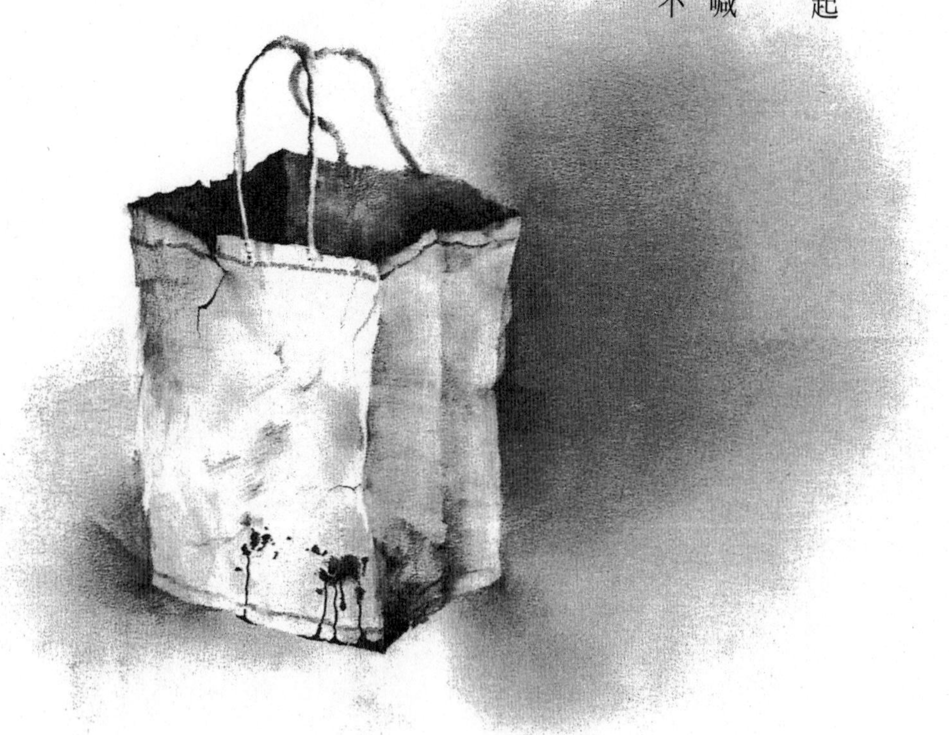

・窗邊的床・

在一間安養院裡，三位老先生同住一個房間。

他們的房間只有一扇窗戶，不過對他們來說，那是與真實世界的唯一連結。在這裡住得最久的泰德・康克林，睡在窗口旁邊的那張床上。泰德過世時，隔壁床的男人喬治・貝斯特取代了他的位置；而第三個人，理查・葛林，則換到喬治的床位。

儘管有病在身，喬治是個快活的男人，靠著描述他能從床上看見的景象來消磨時日——漂亮女孩們、騎在馬背上的警察、交通堵塞、披薩店、消防站跟其他外界的生活情景。

理查很愛聽喬治說話，但喬治對外面的生活描述得越多，理查就越想親自看到。然而他知道，只有在喬治死掉以後，他才會得到機會。他實在好想眺望窗外，以至於有一天他決定殺了喬治。「反正他很快就要死了，」他這樣告訴自己，「這樣有什麼差別？」

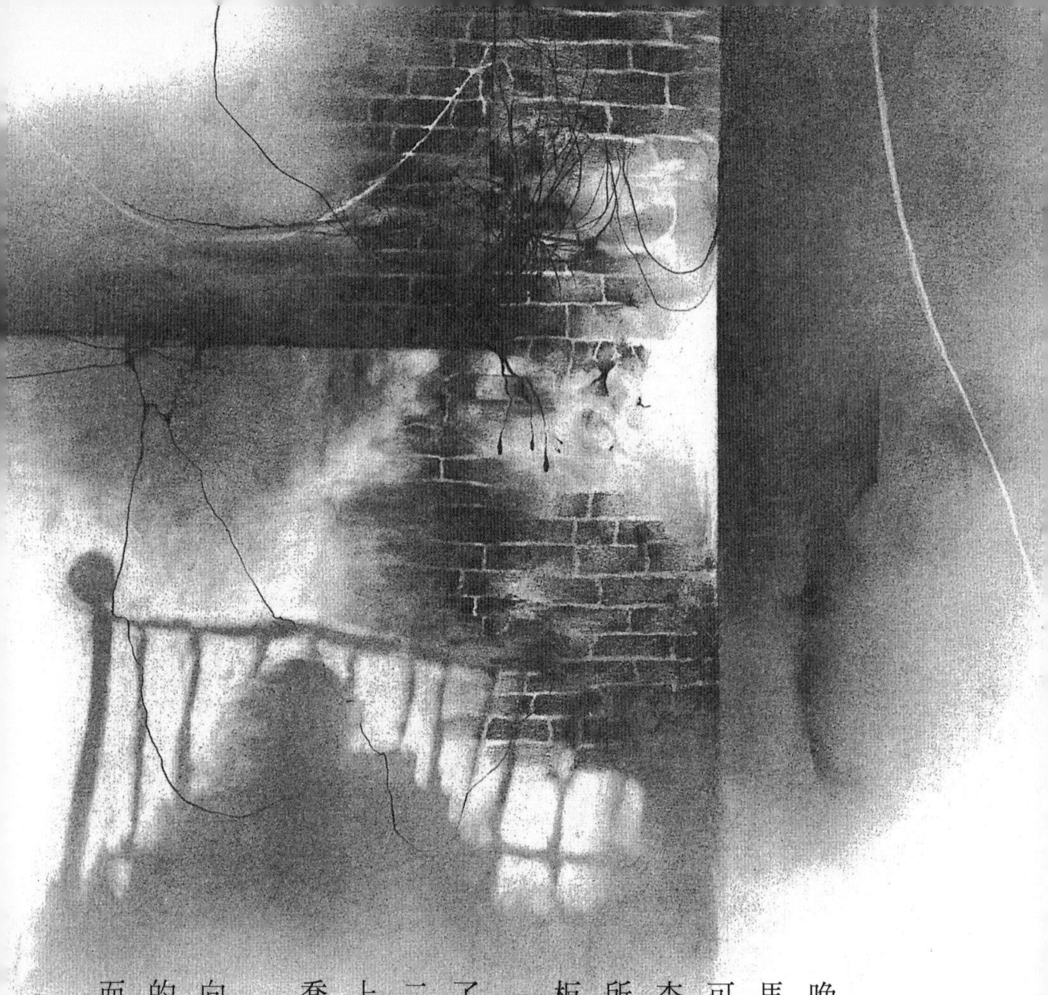

喬治心臟不好，如果他在晚間心臟病發，護士又沒辦法馬上趕到他身邊，他還有藥丸可以吃。他把藥丸放在他跟理查的床中間的櫃子頂端。理查所要做的就只有把瓶子撞到地板上，喬治伸手拿不到的地方。

幾天晚上以後，喬治死了，就像理查計畫中一樣。而第二天早上，理查搬到窗邊的床上去了，現在他將會親自看到喬治描述過的所有外界景物。

在護士離開以後，理查轉向窗口往外眺望。但他能看到的，就只有一片空蕩蕩的磚牆而已。

・死人的手・

護士學校的學生們彼此都相處得很好，只有愛麗絲例外。愛麗絲的問題在於她很完美，至少在其他學生看來是這樣。

她總是很友善，總是很快活，沒有任何事能讓她心浮氣躁。她的作業總是準時交，而且永遠成果完美。她甚至不咬指甲。

許多護校學生都怨恨愛麗絲，她們會很樂意看到她搞砸某件事——變得恐懼，或者哭了出來，或者做了某件事，顯示出她跟她們一樣有弱點。

有一天晚上，幾個學生設法要用一個惡作劇來嚇唬愛麗絲。她們從一具在解剖課研究過的屍體上借來一隻手，然後把那隻手綁在她衣帽間的電燈拉繩上。她想要開燈的時候，就會發現自己握著一隻死人的手。「那樣會嚇到任何人，」其中一個人說：「如果這樣沒嚇到她，就沒有任何事會嚇到她了。」

在把那隻手綁到定位以後，她們去看電影。等她們回來的時候，愛麗絲在睡覺。但她們到第二天早上還沒看見她，這時候她們決定去搞清楚到底發生了什麼事。

愛麗絲房間裡沒有她的任何蹤跡。不過她們很快就找到她了，她坐在她衣帽間的地板上，一邊瞪著那隻死人的手，一邊喃喃自語。愛麗絲甚至沒抬頭看。

這個「玩笑」奏效了，但沒有人笑得出來。

・鏡子裡的鬼魂・

這是年輕人有時候會玩的嚇人遊戲——設法在他們的浴室鏡子裡召喚鬼魂。許多人並不真正相信鬼魂會出現，但無論如何他們就是設法叫出一個，為了好玩跟刺激。

有些人願意接受任何鬼魂，但其他人心裡想找某個特定鬼魂。其中一個是叫作瑪麗・沃斯的鬼魂，她也叫作瑪麗珍跟血腥瑪麗。她是一篇古老連載漫畫的女主角，但有些人說她其實是個女巫，在一六九二年聲名狼籍的麻州沙林鎮女巫審判中被吊死。

另一個這樣的鬼魂是「哭泣的女人」優羅娜，她在從德州到加州、還有整個墨西哥的城鎮都市街頭遊蕩，尋找她失去的孩子。

還有另外一個是瑪麗・威爾斯，一個據說大約在一九六五年因為車禍死於印第安納州印第安納波利斯市的年輕女孩。她的鬼魂是「消失的搭便車旅行者」之中的一個。據說她會一而再、再而三地豎起拇指、攔下過路車輛搭便車

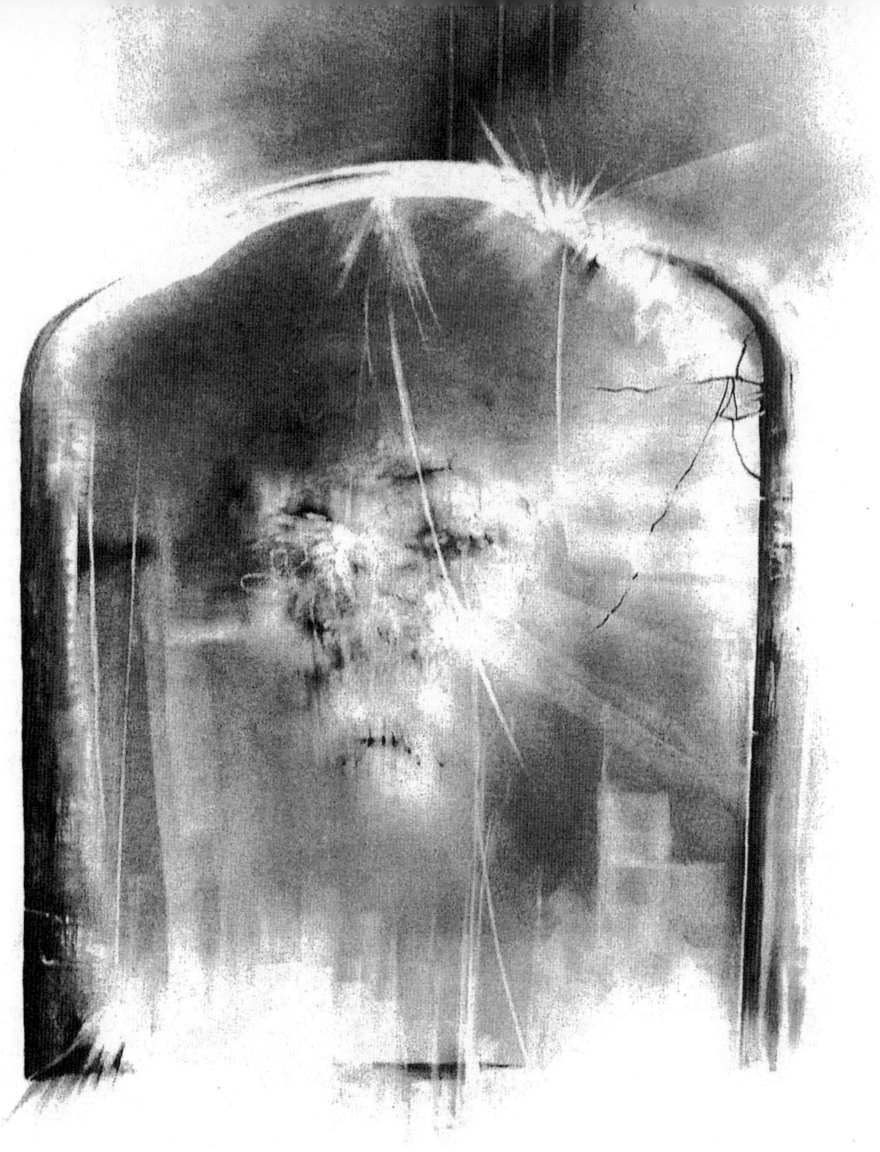

回家，然後在到家以前消失無蹤。

這裡是鬼魂獵人設法召喚出一個鬼魂的辦法：

一，他們找一間安靜的浴室，關上門，也關掉電燈。

二，當他們瞪著鏡中自己的臉時，他們重複鬼魂的名字，通常是四十七次或者一百次。如果任何鬼魂都好，他們會說「任何鬼魂」而不是某個名字。如果他們確實設法召喚出一個鬼魂，它的臉會慢慢地取代他們自己在鏡中的臉。

有些人說鬼魂被打擾時很可能會很憤怒。他們說，如果鬼魂變得夠憤怒，它就會嘗試打破鏡子，直接進入房間。但一個祈求者總是可以打開電燈，把鬼魂送回它的來處。而在發生這種事的時候，遊戲就結束了。

·詛咒·

我爸的朋友查理．波特，是個緊張的小個子男人，總是在張望四周，就好像他處於某種危險中似的。在他告訴我他大學兄弟會的故事以後，我就明白這是為什麼了。

「那個兄弟會已經不存在了，」他說：「多年前被查禁了。當時我們只有九個成員，而且正在招收兩個新人：傑克．勞頓跟厄尼．克萊默。

「在一月的一個晚上，差不多就是現在這個時節，我們九個人帶著他們外出到鄉間去，進行他們的入會儀式。我們帶他們到一棟荒廢老屋裡，不久前有兩個差不多跟我們同年的年輕男子，在那裡被人謀殺。謀害他們的兇手還逍遙法外。

「我們給傑克一根點亮的蠟燭，叫他到三樓去。『在那裡待一小時，』我們這樣告訴他：『然後下樓回來。別說話，別發出任何噪音。如果你的蠟燭熄掉了，就繼續待在黑暗中。』

「從我們站著的地方，我們可以看到傑克的燭光沿著樓梯往上移動到二樓，然後是三樓。不過在他到三樓的時候，他的蠟燭熄掉了。

「我們猜他到了一個風大的角落，風把蠟燭給吹熄了。但一個小時過去了，他還沒下樓，我們就不那麼確定了。我們又等了十五分鐘，變得越來越緊張。

「所以我們派厄尼．克萊默上樓去找他。厄尼到了三樓的時候，他的蠟燭也熄滅了。我們等了十分鐘、二十分鐘，但他們兩個人都蹤跡杳然。『下來吧，』我們喊道，但他們沒有回應。

「最後，我們決定去找他們。我們帶著手電筒，開始往樓上走。那棟房子裡很安靜又陰暗，就像墳墓。在我們到達二樓的時候，我們再度出聲叫喚，卻無人應答。

「在我們到三樓的時候，我們走進一個像是閣樓的巨大開放空間裡。傑克跟厄尼不在那裡，可是我們看到塵土裡有腳印，那些腳印通往閣樓另一邊的一個房間。

「那個房間也是空的，但地板上有新鮮血跡，窗戶大開著。那裡距離地面大概有二十五呎，不過在視線所及的地方沒有梯子或繩子，可以讓他們用來往

下爬。

「我們搜尋了房子的其餘部分，還有屋子旁邊的土地，但什麼都沒找到。我們認定他們擺了我們一道。我們猜想，他們用了某種辦法從窗戶逃離，藏身在樹林裡，地板上的血是為了混淆我們的視聽。我們猜想他們第二天就會帶著很多故事與很多笑聲出現了，但他們沒有。

「第二天我們告訴訓導主任發生了什麼事，而他報警了。警方也沒找到任何東西，幾週以後搜索就終止了。直到今天都沒有人知道傑克·勞頓跟厄尼·克萊默出了什麼事。

「接下來沒太多好說的，」他說道：「我們沒有被捕，但大學方

面解散了兄弟會，讓我們九個人都停學了一年。

「最奇怪的部分發生在我們畢業之後。一定有人對我們下了詛咒，因為從那以後的每一年，大約在入會儀式的相同時節，我們之中就有一個人死掉或發瘋。

「我是唯一剩下的了，」他說：「而且我健康狀況很好。不過有些時候，我覺得就是有那麼一點怪怪的……」

（現在衝向觀眾中的某個人，然後尖叫：）

啊啊啊啊啊啊啊啊啊啊！

最後一笑

這些故事嚇人又好笑。

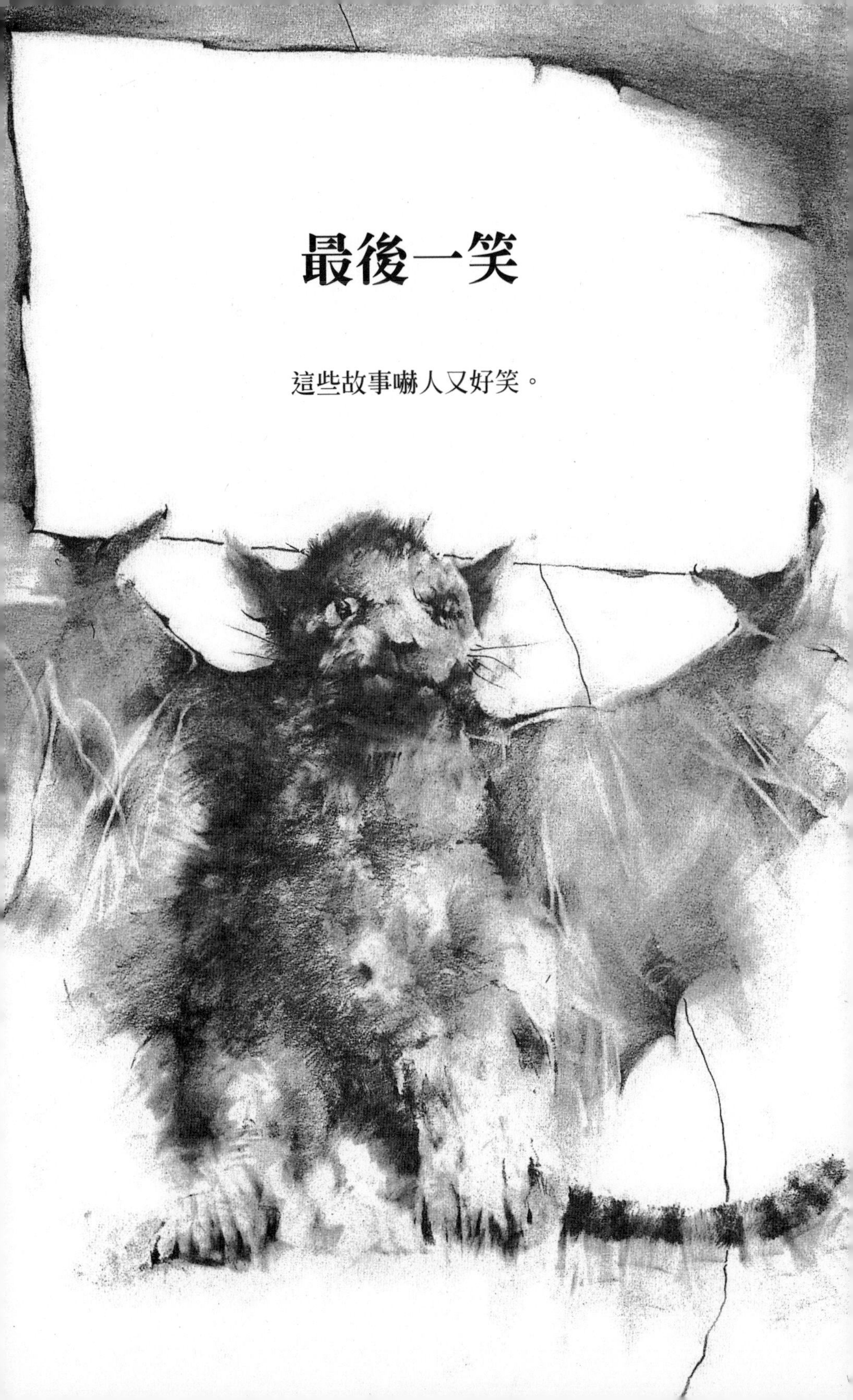

·教堂·

有個叫賴瑞·伯格的男子不怕任何活人，但任何死掉的人都會把他嚇得魂飛魄散。

有一天晚上，賴瑞開著他的老吉普車出門到鄉間去，在那裡碰上大雷雨。雨水傾盆而下，因為他的吉普車沒有車頂，賴瑞開始找避雨的地方。

不過在他碰上的第一個地方，他甚至沒放慢車速。那是一棟荒廢的老舊木屋，裡面可能乾燥得像根骨頭。不過賴瑞知道一個事實：那裡鬧鬼，他不會待在那裡。

再多跑幾哩路，他就來到一間廢棄的老教堂，獨自矗立在一片田野之中。那裡有很多年沒人用了，所有的窗玻璃都不見了，但還有部分的屋頂完好，所以賴瑞停下他的吉普車，跑進裡面去。

那裡說有多暗就有多暗。賴瑞四處摸索，直到他找到一張教堂長椅坐下來。這裡很舒服乾燥，就像他想像中一樣，而他伸展著雙腿，舒服地安頓下來。

突然間有一陣巨大閃電，賴瑞看出他不是教堂裡唯一的一個人。幾乎每張長椅上都有坐人，他們全都低著頭像在祈禱，而且他們全都穿著白衣。

「這些人一定是穿著壽衣坐著的鬼魂，」賴瑞心想：「他們一定是從某個墓園裡來到這裡弄乾身體。」

賴瑞跳起來，沿著走道盡他所能快跑，就撞上了其中一個鬼魂。而那個鬼魂，他大叫——媽啊啊啊啊啊啊！

·壞消息·

里昂跟托德很愛棒球。他們年輕的時候，曾經在鎮上的棒球隊裡打球。里昂曾經是投手，托德則是二壘手。現在他們都老得多了，就把閒暇時間花在看電視上的棒球比賽，還有談論棒球。

「你認為他們在天國打不打棒球？」有一天里昂這麼問托德。

「這是個好問題，」托德說：「先到那裡的人就想個辦法讓另一個人知道。」

結果是托德先到了天國，里昂

很有耐性地等著聽到他的消息。有一天，里昂發現托德坐在客廳裡等他。
里昂見到他非常興奮。「上面那裡像什麼樣啊？」他問道。「還有棒球怎麼樣？」
「講到棒球呢，」托德說：「我有些好消息，也有些壞消息。好消息是我們在天國確實會打棒球，我們有些很好的隊伍。我在我的隊伍裡守二壘，就像以前那樣。這是好消息。」
「那壞消息呢？」里昂問道。
「壞消息嘛，」托德說：「就是賽程表排好了，你明天要投球。」

·墓園湯·

從市場回家的路上，一個女人抄了近路穿過墓園。她在那裡看到一根大骨頭從地面上凸出來，她拾起那根骨頭，然後小心翼翼地檢查。

「這會是很適合拿來熬湯的骨頭，」她說：「我想我會把它帶回家。現在是喝熱湯的完美天氣。」

她到家以後做的第一件事，就是開始煮湯。她在大湯鍋裡放了水、胡蘿蔔、青豆、玉米、大麥、洋蔥、馬鈴薯、一丁點牛肉、一些鹽巴跟胡椒，還有——那根骨頭。她把這些東西全都煮沸，然後再調整成小火慢燉。

「香！」她說著，聞聞味道還嚐了一口。「我簡直等不及晚餐時間了。」

突然間她聽到一個小聲音。

「請把我的骨頭還回來。」

女人沒去注意。但她很快又聽到那個聲音了。

「拜託，我可以拿回我的骨頭嗎？」

女人正在看報紙，她又沒有注意到那聲音。過了一下下，那聲音再度說話了，它聽起來開始生氣了。

「把我的骨頭還我！」

女人繼續看報紙。

「有些人太沒耐性了。」她咕噥道。

聲音再度說話了。現在它聽起來非常生氣，而且聲音大到整棟房子都在搖。

我想要回我的骨頭！

女人伸手到湯鍋裡，抓住那根骨頭，甩到窗外去。用同樣大的聲音，她吼道：

拿去啊！

有一陣詭異的寂靜。然後女人聽到腳步聲匆匆忙忙從屋子離開，沿路朝著墓園去了。而她站起身，替自己舀了點湯。

‧棕色西裝‧

一個女人到葬儀社來看她丈夫的遺體。

「你做得很好，」她對殯葬業者說。「他看起來就像一直以來一樣，只有一件事不同。我丈夫總是穿著棕色的西裝，不過你讓他穿藍色的西裝。」

「這沒問題，」殯葬業者說：「我們很輕易就可以換掉。」

在她晚些時候回去時，她丈夫正穿著一件棕色西裝。

「現在他看起來就跟往常一模一樣了，」她說。「我知道你費了不少工夫。」

「不麻煩，」他說：「事實上，剛好這裡有個男人穿著一件棕色西裝，他的寡婦覺得藍色會比較好。他的尺寸跟妳丈夫差不多，所以我們給他那件藍西裝，給妳丈夫棕色的。」

「就算是這樣，」她說：「換掉所有的衣服是大工程吧。」

「其實不會，」殯葬業者說：「我們就只換了他們的腦袋。」

・吧隆！・

歐里瑞死翹翹，
歐萊利卻不知道。
歐萊利死翹翹，
歐里瑞卻不知道。
他們倆都死了
死在同一張床上，
但是兩個人都不知道，
另一個人死了。
吧隆！吧隆！

搭配〈愛爾蘭洗衣婦〉的曲調來唱。

3
4/4
歐- 里瑞 -死翹翹，歐-萊-利 卻不知道。歐-
萊-利 死翹翹， 歐-里-瑞 卻不知道。他-
們-倆 都死了 死 在 同-一 張床上，但是-
兩-個 人都不知道，另-一 個人死了。吧-隆！-吧-隆！

・咚滴—咚・

當我們從史科海瑞搬到史考奈特迪的時候，我們租到一棟便宜到極點的房子，因為那裡鬧鬼，沒有人願意住進去。不過我們不在乎，因為我們不信鬼魂那一套。

第一天晚上我們就這麼上床睡了，搭馬車搭了一整天累得跟狗一樣。我們還沒時間閉上眼睛，就聽到一種咚滴—咚，咚滴—咚的聲音從閣樓階梯上傳下來。我用毯子蓋住我的頭，但我沒辦法擋掉那個聲音。它發出這種聲響：咚滴—咚，咚滴—咚。我可以聽得一清二楚。

咚滴—咚，咚滴—咚，經過門口，咚滴—咚，咚滴—咚，然後下了樓梯，咚滴—咚，咚滴—咚，接著穿過廚房，咚滴—咚，咚滴—咚，然後下了通往地窖的台階，發出你聽見過最糟糕的吵鬧噪音。這超過我們的忍耐限度了，所以我們全都跟著那個聲音去了，要看看到底出了什麼事。

我們沿著地窖的樓梯下去的時候，我們看到是一張椅子搞出剛剛所有的噪音。它就在那兒，其中一條腿指向泥土地上的一個地方。我們全都只是傻站在那裡目瞪口呆，直到我哥哥艾克說，他相信那張椅子正設法要告訴我們，它指的那塊地方出了點事情。

所以艾克去拿了把鏟子開始挖。他不必挖太深，鏟子就猛然撞到某樣東西了。很快我們就可以看到一個箱子的邊緣凸出來，我們全都吆喝著要他動作快點，把箱子的其他部分挖出來。而那張椅子——它變得超級興奮，還上下亂跳，就像是徹底瘋了一樣。

在艾克把箱子挖出來的時候，老爸跟男孩子們撬開了蓋子。裡面是一具渾身是血的男人屍體。就跟你臉上的鼻子一樣顯而易見，他是被謀殺的，而那張椅子想讓大家都知道這件事。當場我們立刻就決定要離開了。身為外地人，每個人都會認為是我們謀害了他，還來到那裡想隱藏屍體。花不了多少時間，我們就埋好了那個洞，離開了那棟房子。

我們要離開這件事讓那把椅子氣瘋了，它沿著地窖樓梯爬上來，咚滴—咚，咚滴—咚，聲音比它下去的時候還要大。然後它咚滴—咚，咚滴—咚爬上另外一處階梯，還有下一組階梯，聲音越來越大。在它回到閣樓的時候，它咚滴—咚，咚滴—咚的聲音之響亮，讓我們以為它會把所有灰泥震下來，掉到我們頭上。

沒有人問我們為什麼這麼快又搬出去，因為沒有人在那個地方待超過一個晚上，而且大多數還沒待那麼久。不過我可以告訴你們，我們很感激能回到史科海瑞，那裡的椅子會留在它們被擺著的地方，而且不會興奮地到處橫衝直撞、把人嚇到精神錯亂、指出殺人兇手，天知道還有什麼別的花樣！

註釋、出處中的縮寫

AF《阿肯色州民間傳說》（*Arkansas Folklore*）

CFQ《加州民俗季刊》（*California Folklore Quarterly*）

HF《胡傑民間傳說》（*Hoosier Folklore*）

HFB《胡傑民間傳說公報》（*Hoosier Folklore Bulletin*）

IF《印第安納州民俗》（*Indiana Folklore*）

IUFA 印第安納大學民間傳說檔案庫，印第安納州布魯明頓（Indiana University Folklore Archive, Bloomington, Ind.）

JAF《美國民俗期刊》（*Journal of American Folklore*）

KFQ《肯塔基州民俗期刊》（*Kentucky Folklore Quarterly*）

NEFA 東北民間傳說與口述歷史檔案庫，緬因大學，緬因州歐羅諾（Northeast Archives of Folklore and Oral History, University of Maine, Orono, Me.）

PTFS 德州民俗學會出版品（Publication of the Texas Folklore Society）

SFQ《南方民俗季刊》（*Southern Folklore Quarterly*）
SS 亞文．史瓦茲，《在黑暗中說的鬼故事》（*Scary Stories to Tell in the Dark*）
WF《西方民間傳說》（*Western Folklore*）

註釋

嗚—哈！（引言）：「坐立不安」（heebee-jeebies）這個說法，來自第一次世界大戰之前一位名叫W．迪貝克的漫畫家。「神經兮兮」（screaming meemies）這個詞彙，一開始是用來指稱德軍在第一次世界大戰時對協約國發射的呼嘯砲彈。

彷彿活人的鬼魂（第一章）：人類一直有種信念，就是死者如果有需要這麼做，就可以用鬼魂的形式回到我們的世界。他們可能是看不到的，或者像一陣飄蕩的霧那樣升起，或者看起來就跟生前一樣。在這些彷彿活人的鬼魂裡，最廣為人知的是搭便車鬼魂、或者消失的搭便車者，有許多故事都講到他們。故事裡通常有個死去的主角，後來反覆努力要回家，或者回到熟悉的環境。這些鬼魂設法順路搭上經過的車輛，但總是在車子抵達目的地以前消失。第一章有好幾個彷彿活人的鬼魂故事：〈有什麼不對勁〉、〈殘骸〉還有〈一個週日早上〉。詳細的鬼魂討論，請見*SS*，pp. 92-94。

〈一個週日早上〉（第二十三至二十五頁）：這個故事是根植於一個古老的信念——夜晚屬於死者，敬拜神的場所在天黑之後有鬼魂出沒。

學者亞歷山大・克拉普指出，這故事也可能是來自一個夢境，可能是源於作夢者的夢遊經驗。他說，有可能這個作夢者實際上走到夢中的地點，然後繼續作夢直到她醒來為止，而以這種方式提供一個故事的基礎。要是她在醒來的時候就像艾妲一樣，發現她的衣服被扯破了，或者她身上有個嚴重抓傷呢？他說，這樣的事情可以用好幾種方式解釋。

克拉普講到十九世紀的一位德國醫師。這位醫師讀高中的時候，跟一個會夢遊的十七歲男孩住在同一間屋子裡。有一天晚上這男孩夢到現在是早上七點，該去上學了。

他還在睡夢中，但同時他盥洗、著裝，把他的書本拿齊了，走到樓下去。他出門的時候，停下來查看時間，就像他每天早上做的一樣。就在時鐘在午夜報時，敲了十二次的時候，他被驚醒了。

克拉普指出，要是這男孩沒醒過來，他可能會去學校，就像〈一個週日早上〉裡面的艾妲去了教堂，同時繼續在那裡作夢。參見Krappe, *Balor*, pp. 114-25; *JAF*

60: pp. 159-62.

〈聲音〉（第二十六至二十七頁）：發現這則傳說的人是來自紐約布魯克林的一位記者，查爾斯．M．史金納。雖然史金納不是受過訓練的民間傳說學家，他卻是第一個認真蒐集美國傳說的人。在一八九六到一九〇三年之間，他編纂了五本書，收錄來自全美國及其屬地的傳說，其中一些變成了暢銷書。史金納總共發現並重述了五百一十五個跟鬼魂、寶藏、印第安人起義、女巫、救援行動及其他主題有關的傳說。直到近年來才有民間傳說學者對這些材料產生興趣。參見Dorson,〈Skinner.〉

〈有人從桅頂跌下來了〉（第三十一至三十五頁）：一位名叫喬治．S．瓦森的作家兼藝術家寫下了這則傳說還有其他故事，這顯示在十九世紀時，緬因漁村會有人講這類故事。這些傳說的基礎，在於他對當地故事以及這種地方的方言具備的知識。所有傳說都牽涉到一個叫作奇力克灣的小港口，實際上則是南緬因州的吉特利角。參見Dorson, *Jonathan*, pp. 243-48.

〈克啷叮—克啷〉（第三十九至四十四頁）：這是喬爾・錢德勒・哈里斯藉著他還是個舊南方白人男孩時，學到的黑人故事、歌曲、習俗與說話方式中創造出來的名作，《利馬斯叔叔故事》的其中一篇。

他談黑人農場生活的故事，第一次見報是在一八七八年的《亞特蘭大憲政報》（*The Atlanta Constitution*）上。他的第一本書，《利馬斯叔叔：他的歌曲與諺語》（*Uncle Remus: His Songs and Sayings*），在兩年後問世，讓他成名。另外九本合集接著出版，其中包括《利馬斯叔叔與布雷爾兔》（*Uncle Remus and Brer Rabbit*）還有《焦油寶寶與利馬斯叔叔的其他歌謠》（*The Tar Baby and Other Rhymes of Uncle Remus*）。

這些故事喚醒對於舊南方黑人生活與性格的非凡意識，由利馬斯叔叔擔負起老黑人的傳統角色，講故事給主人的孩子們聽。參見Brookes, pp. 3-21; 43-62.

活埋（第四十九至五十頁，〈她手指上的戒指〉）：死人做完防腐程序後，血管與淋巴系統內通常會注入一種含有甲醛的流體，這種流體能保存屍體很長一段時間，這樣做也能確保被埋葬的人確實死了。

在現代防腐方法變得普遍以前，有許多像是〈她手指上的戒指〉這樣的傳奇故事。每個故事都講到某個人怎麼樣被放棄、被當成死人，但實際上他們只是陷入昏迷或者處於某種出神狀態，在他們的葬禮上、或者在他們下葬以後才恢復意識。在後面的狀況裡，從恐怖的死亡中被救起的人欠盜墓者一命。

在那樣的年代裡，竊賊為了屍體上的珠寶把他們挖出來，或者偷走屍體賣給醫學院。他們不時發現一個活人因為冷空氣的驚嚇、或者因為他們努力切掉此人的手指而復活。參見〈她手指上的戒指〉的來源。

在十九世紀早期，有位英國女性太擔心被活埋了，所以安排自己被埋在一個墓穴中沒有蓋子的棺材裡。墓穴牆壁留下一個小開口，好讓她在恢復意識的狀況下能夠呼吸、讓人聽見她。參見Hole, p. 54.

吸血鬼（第五十七至六十頁）：在〈窗戶〉故事裡的吸血鬼是個活屍，一個死了卻沒有真正死透的人。它無法在它的墳墓中安息。它耗費每個晚上的時間去找一個人，從這個人脖子上吸取它需要的血液。不過在雞鳴以前，它就必須回到它的棺材裡。

世界上有許多地區的人都相信有吸血鬼，不過這種信念在俄國、波蘭、羅馬尼亞、保加利亞、匈牙利與希臘最普遍。在十八世紀的匈牙利，對於吸血鬼威脅的強烈呼聲，就跟一百年前新英格蘭對女巫的擔憂一樣巨大。

在美國或英倫三島，有少數幾則對吸血鬼經驗的詳細描述。其中一個是一九三三年凡斯．藍道夫在密蘇里州的克蘭蒐集到的簡短故事。這個故事講的是一個男孩到一個女巫的院子裡去，拿回一顆他本來在玩的球。女巫的女兒割開他的喉嚨，然後跟她母親一起喝了男孩的血。藍道夫認為這個故事跟民謠〈修閣下〉（〈Sir Hugh〉）有關，那個民謠裡講到一樁類似的事件。

英國故事〈窗戶〉可能是英語描述中最詳細的一則。然而描述中用來摧毀吸血鬼的方法，可能並不完備。根據東歐傳統，吸血鬼在被火化以前會先被砍頭，然後它的餘燼會被埋在十字路口。也有另一種用來確保吸血鬼不會回來的傳統辦法——把一根削尖的木樁插進吸血鬼的心臟裡。

據說只有某些人會變成吸血鬼：女巫、自殺者，還有被吸血鬼咬的人。如果一具屍體在下葬時張著嘴，或者有隻貓在下葬時跳過屍體，那具屍體就會變成吸血鬼。

據說抵禦吸血鬼的最佳辦法是帶著鈴鐺、大蒜或者某種形式的鐵。

參見Leach, *Dictionary*, p. 1154; Randolph, *Church House*, pp. 164-65; *Ozark Folksongs*, vol. 1, pp. 148-51; Belden, pp. 69-73.

恐怖故事（第七十至七十二頁，〈噢，蘇珊娜！〉）：這是一組異常受歡迎的傳說中的其中一則，這類傳說都是關於逍遙法外的瘋狂殺手在大學校園內部或附近犯下暴行。其中包括年輕人被斧頭襲擊或被刀刺的故事，這些人求救的喊叫被忽略了，因為他們的室友太過害怕，不敢打開自己的房門。民間傳說學者琳達．德認為這些傳說是現代的警世故事，警告年輕人在逐漸自立的同時，注意正在威脅他們的危險。參見Barnes, 307-12; Dégh, 〈The Roommate's Death,〉 *IF* 2; *SS*, 96-97.

吵鬧鬼（第一〇二至一〇五頁，〈咚滴—咚〉）：這故事裡鬧鬼的椅子是一個吵鬧鬼，這個詞彙顧名思義就是「吵鬧的鬼魂」。然而這樣的鬼通常是隱形的，它透過撞與敲的聲響、其他噪音與沒有解釋的行動，來宣告它的存在。

這樣的鬼魂據說會移動家具，導致碗盤從碗櫃裡飛出來砸在地上，把燃燒的木塊從火爐裡扔出來，甚至會用隱形的大剪刀把布料跟毯子剪成奇怪的形狀，通常是新月形。參見Gardner, pp. 96-97; Musick, *West Virginia*, p. 42; Lawson and Porter, 371-82.

在《匹克威克故事集》（*Pickwick Papers*）裡，狄更斯講到有一張會說話的椅子，幫助一個旅行推銷員贏得他想娶的女人。見Dickens, pp. 188-96.

出處

每個條目的來源都列出來了，連同其他變體跟相關資訊一併提供。如果找得到相關訊息，蒐集者（C）與告知者（I）都會列出。

引言

第十三頁〈嗚—哈〉：出自T・S・艾略特（T. S. Eliot）的詩作，〈一場競技的片段〉（〈Fragment of an Agon〉），參見Eliot, p. 84.

她看到他的時候，她尖叫著逃走了

第十八頁〈有什麼不對勁〉：重述Cerf, *Try and Stop Me*, pp. 275-76的一個無標題故事。

第二十頁〈殘骸〉：基礎來自Parochetti, 55裡的一個簡短參照。這是許多「搭便車鬼魂」故事的其中一則，故事裡一個年輕女子搭便車回家，但結果她是個鬼魂。參見Beardsley, Richard K., *CFQ* 1: 303-36; *CFQ* 2: 3-25; *SS*: p. 121. 參見註釋「彷彿活人的鬼魂」。

第二十三頁〈一個週日早上〉：我第一次聽到這個故事時，還是一九五〇年代在伊利諾州伊凡斯頓（Evanston）西北大學就讀的學生。文本是來自我的回憶，但也在Krappe, *Balor*, pp. 114-25跟Krappe, *JAF* 60: pp. 159-62的文獻出處裡。參見〈一個週日早上〉的註釋。

第二十六頁〈聲音〉：故事基礎是十九世紀末阿拉巴馬州莫比爾（Mobile）的一則傳說。文本中描述的廢棄房屋是由一位富有的英國人蓋的，他跟他口中「愚笨」的女兒，還有幾位僕人住在那裡。沒有人去拜訪他們，他們也很少出門。他突然間回到英國去了，沒帶著她。她則消失了。這間屋子一再被轉賣，沒有人住得下去。參見Skinner, pp. 17-19。參見〈人聲〉的註釋。

第二十八頁〈一道怪異的藍光〉：重述一則一八九二年十二月十七日刊登在加州道尼市（Downey）《冠軍報》（*Champion*）上面的新聞報導，取自德州蓋佛斯頓（Galveston），*True Flag*, n. d., 重印於Splitter, p. 209.

第三十一頁〈有人從桅頂跌下來了〉：改編刪節自Wasson,〈Who Fell from Aloft?〉, pp. 106-28裡的一個故事。參見〈有人從桅頂跌下來了〉的註釋。

第三十六頁〈小黑狗〉：這個關於一隻狗復仇的故事，是改編自歐薩克山脈（Ozark Mountains）故事〈Si Burton's Little Black Dog,〉(I): Mrs. Marie Wilbur, Pineville, Mo., 1929. 參見Randolph, *Church House*, pp. 171-73.

第三十九頁〈克啷叮—克啷〉：知名驚嚇故事〈金手臂〉（〈The Golden Arm〉）的十九世紀末南方黑人版；在原本的故事裡，一具屍體上的一隻金手臂或某個別的身體部位被偷了，屍體從墳墓中回來，去取回被偷部位。這是改編自Harris,〈A Ghost Story,〉*Nights with Uncle Remus*, pp. 164-69. 參見〈克啷叮—克啷〉的註釋。

她像貓似地嘶吼嚎叫

第四十六〈新娘〉：重述一個傳統英國與美國故事，奠基於作曲家湯瑪斯・海因斯・貝利（Thomas Haynes Bayly）的歌謠〈槲寄生枝〉（〈The Mistletoe Bough〉）的歌詞及其他變化版。這裡是最後一段歌詞：

終於一只長期藏放的橡木箱子，
在城堡裡被發現；他們掀起蓋子，

而一個骷髏形體躺在那裡腐朽，
戴著美麗淑女的新娘花環。
噢，她的命運何其可悲；在活潑的玩笑裡，
她躲著她的夫君，藏在老橡木箱子裡；
它彈跳著關上，而她如花盛放的新娘風采，
躺在那活人的墳墓裡凋萎。

甚至有一齣戲是關於這位不幸的新娘，由查爾斯・A・桑默塞特（Charles A. Somerset）所做的《槲寄生枝；或致命的箱子》（〈The Mistletoe Bough; or the Fatal Chest〉）。參見Briggs and Tongue, pp. 88; Disher, pp. 89-90.

第四十九頁〈她手指上的戒指〉：好幾種不同變化版的重述。Dorson, *Buying the Wind,* pp. 310-11; Baylor, 〈Folklore from Socorro, New Mexico〉,pp. 100-102. 盜墓賊死掉的結局是出自下面這個故事主角的命運，〈The Thievish Sexton,〉 Briggs and Tongue, pp. 88-89. 參見〈活埋〉的註釋。

第五十一頁〈鼓〉：警告小孩要乖，否則就要承擔後果的警世故事，在大多數文化裡都找得到。〈鼓〉重述的這類故事，出自一個英國家庭代代相傳的故事，後來這個故事又隨著另一個家庭成員漂洋過海來到美國。在這本書裡的重述版本，標題是從〈梨樹鼓〉（〈The Pear Drum〉）簡化而來，小孩的名字從「藍眼睛」跟「火雞」改成「杜羅莉絲」跟「珊卓拉」。參見J. Y. Bell的文本與信件，還有Lilian H. Hayward的信件，在她的信件中她回想起這種故事的一個文學版本，出現在十九世紀末的英國，*Folklore 66* (1955): 302-4, 431。

民間傳說學家凱薩琳．布里格斯（Katharine M. Briggs）把故事中要求用鼓來交換邪惡行為的女孩視為一種撒旦，甚至猶有過之；因為這女孩對她的交易出爾反爾，但撒旦是不會這樣做的。Briggs, Part A, Vol. 2, pp. 554-55.

第五十七頁〈窗戶〉：改編刪節自Hare, pp. 50-52. 參見「吸血鬼」的註釋。

第六十一頁〈美妙的香腸〉：數個不同變化版與一首歌的重述。參見Randolph,〈The Bloody Miller,〉 *Turtle*, pp. 138-40, (I): Mrs. Elizabeth Maddocks, Joplin, Mo., 1937; Edwards, p. 8, 一個阿肯色州的變化版；還有Saxon, p. 258, 這是一則紐奧良傳說，在其中有個香腸製作者把他老婆絞成香腸，卻被她的鬼魂逼瘋。

歌曲名叫〈唐德貝克的機器〉（〈Donderback's Machine〉），或者就叫作〈唐德貝克〉（〈Donderback〉），有各種不同的拼法與類似變化版。這首歌的結尾是唐德貝克的香腸磨肉機壞掉了，而他爬進裡面要修理機器：

他太太，她作了個惡夢，
她在夢中行走，
她抓住了曲柄，用力一拉，
唐德貝克就變成肉了。

這首歌是照著〈浪蕩者之子〉（〈The Son of a Gambolier〉）的曲調唱的，這個曲子後來變成了〈我是來自喬治亞理工學院的浪蕩子〉（〈I'm a Ramblin' Wreck from Georgia Tech〉）的曲調。參見Spaeth, p. 90; Randolph, *Ozark Folksongs*, vol. 3, pp. 488-89.

第六十三頁〈貓掌〉：重述一個流傳甚廣的女巫故事。參見Randolph, *Ozark Mountain Folks*, p. 37; Randolph, 〈The Cat's Foot,〉 *Turtle*, pp. 174-75, (I): Lon Jordon, Farmington, Ark., 1941; Puckett, p. 149; Gardner, p. 174; Porter, p. 115.

第六十六頁〈人聲〉：傳統的驚嚇故事，編纂者替這個故事多加了兩行結語。參見*SS*, p. 7, p. 14; Opie, p. 36; Saxon, p. 277.

在我醒來的時候，一切都會好好的

第七十頁〈噢，蘇珊娜〉：大學生之間耳熟能詳的傳說，這一則經常被命名為〈室友之死〉。此書中的文本是好幾種變化版的重述：NEFA, (I): Linda Mansfield, (C): Mary Dudley, Orono, Me., 1964; IUFA, (I): Shelly Herbst, (C): Diane Pavy, Bloomington, Ind., 1960; 編纂者與Lin Rogove的問卷訪談，Lancaster, Pa., 1982; *IF* 3 (1970): 67. 參見「恐怖故事」的註釋。

第七十三頁〈中間的男人〉：這個傳說在紐約、倫敦、巴黎跟其他有地鐵的大城市裡都有人講。在十九、二十世紀之交，有人講關於馬車的同類故事：紐約一輛由馬拉動的公共巴士在一陣暴風雪中，在第五街往南移動。參見〈Folklore in the News〉: *WF* 8: 174; Clough, pp. 355-56.

第七十五頁〈購物袋裡的貓〉：我第一次聽到這個故事是在一九七〇年代末的丹佛，還有在蒙大拿州的海倫娜（Helena）。文本基礎是我的回憶與出現在Brunvand, pp. 108-9的類似版本，在一九七五年於鹽湖城地區採集到的。

第七十七頁〈窗邊的床〉：重述自Cerf, *Try and Stop Me*, pp. 288-89.

第七十九頁〈死人的手〉：醫學院與護校常有人講的故事。重述自Parochetti,

p. 53與Baughman,〈The Cadaver Arm,〉pp. 30-32的各種版本。在另一個變化版裡，受害者被發現時已經身亡，死人的手緊抓著他的喉嚨，Barnes, p. 307.

第八十一頁〈鏡子裡的鬼魂〉：奠基於Knapp, p. 242; Langlois, pp. 196-204; Perez, pp. 73-74, 76的參考文獻。

第八十四頁〈詛咒〉：重述一個經常被稱為〈致命兄弟會入會儀式〉的傳說。本文是以好幾個變化版為基礎：Baughman,〈The Fatal Initiation,〉*HFB* 4: 49-55; NEFA, (I): Linette Bridges, (C): Patricia J. Curtis, Blue Hill, Me., 1967; Dégh, *Indiana Folklore: A Reader*, pp. 159-60.

最後一笑

第九十頁〈教堂〉：重述以下文本：Randolph, *Sticks*, pp. 24-25, (I): Wayne Hogue, Memphis, Tenn., 1952.

第九十三頁〈壞消息〉：(I): Constance Paras, 12, Winchester-Thurston School, Pittsburgh, 1983.

第九十五頁〈墓園湯〉：這個驚嚇故事的基礎在於下面的故事：Puckett, pp. 124-25, (I): Marie Sneed, Burton, S. C., 約一九二五年，類似故事的英國版本，參見

Gilchrist, pp. 378-79.

第九十八頁〈棕色西裝〉：來自編纂者的回憶。

第一〇〇頁〈吧隆！〉：歌詞，(I): Magaret Z. Fisher. Manheim Township, Pa., 1982. 音樂，〈The Irish Washerwoman〉，一個傳統舞曲，用迅速的吉格舞節拍彈奏。樂譜謄寫者是Barbara C. Schwartz, Princeton, N. J., 1984，轉自Thomas Mann, Ortonville, Iowa, 1937，以揚琴做的表演，由Mrs. Sidney R. Cowell錄成錄音帶，收錄在這份錄音裡：〈Folk Music of the United States, Play and Dance Songs and Tunes〉, ed., B. A. Botkin, Library of Congress Music Division, AAFSL9.

第一〇二頁〈咚滴一咚〉：改編自Gardner, pp. 96-97, (I): Maggie Zee, Middleburgh, N. Y., 約一九一四年。參見註釋「吵鬧鬼」。

致謝

我很感激在我國許多地區的女孩與男孩們跟我分享他們的嚇人故事，並且告訴我他們想在這種選集裡看到什麼樣的故事。

我也很感激以下這些人與機構的慷慨幫忙：

緬因大學（歐羅諾校區）、賓州大學、普林斯頓大學與紐澤西州普林斯頓公共圖書館的圖書館員與工作人員；緬因大學的愛德華．D．艾弗斯，還有賓州大學的肯尼斯．高德斯坦；我的編輯們，妮娜．以那托維茲與羅伯特．O．華倫；還有我太太兼同事，芭芭拉．卡默．史瓦茲。

亞文．史瓦茲

國家圖書館出版品預行編目資料

在黑暗中說的鬼故事II/亞文・史瓦茲編撰、史蒂芬・格梅爾插畫；吳妍儀譯. -- 初版. -- 臺北市：皇冠, 2019.08
面；　公分. --（皇冠叢書；第4783種)(CHOICE; 326)
譯自：MORE SCARY STORIES TO TELL IN THE DARK
ISBN 978-957-33-3463-7

874.57　　108011050

皇冠叢書第4783種
CHOICE 326

在黑暗中說的鬼故事II

MORE SCARY STORIES TO TELL IN THE DARK

編　撰—亞文・史瓦茲
插　畫—史蒂芬・格梅爾
譯　者—吳妍儀
發 行 人—平雲
出版發行—皇冠文化出版有限公司
台北市敦化北路120巷50號
電話◎02-27168888
郵撥帳號◎15261516號
皇冠出版社(香港)有限公司
香港上環文咸東街50號寶恒商業中心
23樓2301-3室
電話◎2529-1778 傳真◎2527-0904
總 編 輯—龔橞甄
責任主編—許婷婷
責任編輯—張懿祥
美術設計—王瓊瑤
著作完成日期—1984年
初版一刷日期—2019年8月
初版二刷日期—2019年8月
法律顧問—王惠光律師

讀者服務傳真專線◎02-27150507
電腦編號◎375326
ISBN◎978-957-33-3463-7
Printed in Taiwan
本書定價◎新台幣220元/港幣73元